LA CUISINE
MEXICAINE

LA CUISINE MEXICAINE

ROGER HICKS

KÖNEMANN

SOMMAIRE

LA « COCINA MEXICANA »

Ce n'est pas au restaurant qu'on mange la meilleure cuisine mexicaine, même au Mexique ! Influencée par les saveurs d'Amérique centrale, espagnoles et arabes, c'est une cuisine tantôt incroyablement simple, tantôt extrêmement complexe. Reflet de ces influences, un même plat se décline en plusieurs variantes : à la manière aztèque, à la manière des « soldats espagnols », « à la manière riche hidalgo, à la manière mauresque.

Mais la cuisine mexicaine n'est pas difficile à apprendre. La technique de base est très simple. Il faut seulement se procurer quelques ingrédients, piments, herbes, épices, légumes et fruits. Une quête de saveurs qui, si vous aimez cuisiner, vous surprendra agréablement. D'autant plus qu'un repas mexicain ne revient pas cher. À peu de frais, vous concocterez de véritables festins.

On trouve aisément la plupart des ingrédients essentiels – chilis (piments), herbes, condiments divers, tortillas déjà préparées – en supermarché ou dans les épiceries exotiques : orientales, africaines, antillaises, indiennes. Mais n'hésitez pas à improviser ! C'est notre premier conseil. Pour réussir une recette mexicaine, il faut surtout bien choisir et doser les chilis. La *cocina mexicana* n'est épicée que si on le désire ! Tout est question de quantité, vous vous en doutez. Nous vous expliquerons comment reconnaître, préparer et cuisiner les chilis. Mais on s'habitue très vite à manger épicé. Ne l'oubliez pas lorsque vous inviterez des amis à déguster l'un de vos plats préférés !

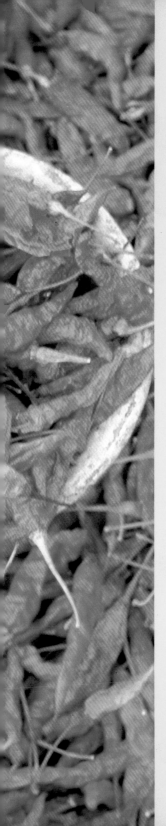

« NO HAY REGLAS FIJAS »

Il n'y a pas de règles fixes. Finalement, la cuisine mexicaine est un peu à l'image de la vie quotidienne au Mexique : spontanée et chaleureuse. Nécessité oblige, elle est aussi très créative. On prépare un plat avec ce qu'on a sous la main et on adapte la recette si besoin est.

La taille et la diversité géographique du Mexique expliquent les étonnantes variantes de la *cocina mexicana*. La frontière avec les États-Unis court sur plus de 3 000 kilomètres ; du nord au sud, le pays s'étend aussi sur plus de 3 000 kilomètres. Le pays a des régions côtières tropicales et subtropicales (la *Tierra calda*), des plateaux tempérés (la *Tierra templada*), et des hautes montagnes (la *Tierra fria*). Pendant des siècles, ces chaînes montagneuses ont séparé les vallées et leurs habitants. D'où tant de variations culinaires pour un même plat. Dès lors, les recettes de ce livre sont sans doute tout aussi typiques que celles d'un autre livre de cuisine mexicaine. Une préparation sera plus ou moins épicée, plus ou moins dosée en viande, en coriandre, en tomates, poêlée à sec ou frite. La cuisine mexicaine est en effet autant un état d'esprit qu'une affaire de goût et de saveurs. Il y a simplement deux principes de base. D'abord on cuit la viande très longtemps. Les Mexicains la font bouillir pendant des heures avant de l'incorporer aux légumes ou aux sauces. Et puis l'on improvise à volonté avec différentes viandes (bœuf, porc, poulet, agneau), pour une même sauce ou différentes sauces pour une même viande.

INGRÉDIENTS

Ils donnent à la cuisine mexicaine sa saveur si originale et on ne peut s'en passer! Si vous ne connaissez pas d'épicerie mexicaine, les magasins d'alimentation exotique (indiens, africains, chinois), et certains supermarchés, proposent la plupart des ingrédients que nous décrivons ci-après. Consultez également le glossaire page 94.

CI-DESSUS : fromages mexicains
CI-DESSOUS : chilis séchés

AVOCATS Faute de pouvoir flâner sur un marché mexicain où les variétés d'avocats abondent, autant bien choisir ceux que l'on trouve chez soi. Les avocats à la peau épaisse et granuleuse (*Hass*) sont généralement les meilleurs. Bien mûr, l'avocat s'assouplit sous les doigts, mais il ne doit pas être trop mou ou noirci. Petite astuce si vous achetez des avocats trop jeunes : laissez-les mûrir dans une corbeille où vous aurez aussi disposé quelques bananes.

CHAYOTE Sorte de courge en forme de poire.

CHILIS (piments) Il existerait entre 50 et 250 variétés de piments utilisés pour la cuisine mexicaine! On les répartit néanmoins en quatre catégories principales :

Les chilis frais et très forts type SERRANO et JALAPENO. Ce sont les plus connus. Deux ou trois petits *serranos* remplacent un beau *jalapeno*. Après les avoir découpés, nettoyez bien la lame du couteau, et lavez-vous soigneusement les mains. Ne vous frottez surtout pas les yeux avant !

Les chilis frais et doux type *anaheim* et *poblano*. Ils sont à peine plus forts que des poivrons. Ôtez les graines et les veines où se concentre la substance piquante avant de les cuisiner (voir la préparation des chilis page 12).

Mulato   New Mexico   Ancho   Guajillo   Pasilla

California   Jalapeno   Pasilla   California   New Mexico   Quebrado   Arbol   Negro
                         (en poudre) (en poudre) (en poudre)   (pilé)

Les chilis séchés, tous forts, type *California, New Mexico, ancho, pasilla, negro*, etc. Les petits piments rouges sont nettement plus forts que les gros chilis bruns, rouge foncé ou brun noir. On en trouve souvent en poudre. En général, on enlève les graines et les veines des plus gros chilis, mais pas des plus petits (voir pages 12-13)

Les chilis en purée ou marinés type chilis en escabèche, chipotle, etc. Ils procurent une saveur exceptionnelle. On peut les remplacer par des piments frais.

CHOCOLAT L'Amérique centrale est le pays du chocolat. Principalement consommé sous forme de boisson, il est également utilisé pour préparer le *mole* au chocolat, sauce pour plats salés (voir page 81).

CORIANDRE La coriandre fraîche, encore appelée « persil chinois » (*cilantro* en espagnol), ou *dhaniya* en hindi, est employée dans de nombreuses *salsas* (condiments) et autres préparations. Pourquoi ne pas faire pousser votre coriandre ? Fraîchement cueillie, elle diffuse des arômes exquis.

FEUILLES DE MAÏS Ce n'est pas vraiment un ingrédient, mais on s'en sert pour

CI-DESSUS : une corbeille de chilis, piments et poivrons CI-DESSOUS : chilis frais

envelopper les *tamales* (voir page 78) durant la cuisson. Les enlever avant de manger. En principe, on en trouve dans les épiceries exotiques.

FROMAGES ET PRODUITS LAITIERS Il existe un nombre impressionnant de fromages

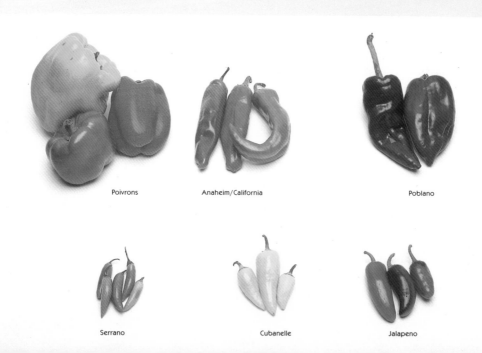

Poivrons

Anaheim/California

Poblano

Serrano

Cubanelle

Jalapeno

| Jicama | Chayote | Maïs, séché et frais | Nopales (figue de barbarie) | Tomates | Bananes burro | Banane plantain |

| Coriandre | Avocat | Courgettes | Limes (citrons verts) | Oignon rouge | Oignon jaune | Amandes | Pipian (pépins de citrouille) | Tamarin |

mexicains, au lait de vache ou de chèvre. Pour les recettes à base de fromage fondu, nous conseillons le Jack mexicain, mais le Cheddar (sorte de mimolette très facile à trouver) le remplace très bien. La crème aigre est également un bon substitut de la *crema agria* utilisée au Mexique.

HERBES ET ÉPICES Outre les chilis, l'origan et le poivre noir sont des ingrédients irremplaçables de la cuisine mexicaine. L'origan frais est évidemment bien meilleur que l'origan séché (comme pour la sauge et le thym). Les herbes et les épices conservées trop longtemps perdent de leur saveur. N'hésitez donc pas à renouveler votre assortiment !

HOMINY C'est un maïs blanc cuit au naturel, qui a un goût très différent du maïs non traité. On en trouve diverses variantes, notamment le fameux *hominy grits* (maïs concassé et bouilli) en conserve.

Le *hominy* sert surtout à préparer le *pozole* (voir page 70).

JICAMA Ce tubercule a une saveur étonnante qui rappelle à la fois la pomme de terre crue ou le navet, la pomme et le radis doux.

MASA C'est la pâte de maïs toute prête que l'on utilise pour confectionner tortillas et *tamales*. Si vous ne trouvez pas de *masa*, procurez-vous de la *masa harina* : c'est la farine de maïs qui sert à préparer la *masa* (voir page 16).

PILONCILLO Sucre partiellement raffiné. Connu sous le nom de *gur* ou *jaggery* dans les épiceries indiennes.

PIPIAN Ce sont des pépins de citrouille crus, non salés. On s'en sert pour épaissir et aromatiser sauces et ragoûts.

PLANTANOS La banane plantain, moins sucrée que la banane traditionnelle, est plus consistante dans les ragoûts. On en vend dans les épiceries antillaises ou africaines. À défaut, utilisez des bananes encore vertes.

PLATS CUISINÉS Tout comme les Mexicains eux-mêmes, nombreux sont ceux qui préfèrent acheter des plats préparés. C'est une solution de compromis qui, bien sûr, ne permet pas d'apprécier pleinement les parfums et les saveurs des plats mexicains. Dans le commerce, on trouve des *tacos*, tortillas, *tostadas*, des *salsas*, des purées de haricots, du guacamole, de la sauce au chocolat.

Il existe également de nombreux produits en conserve ou congelés : *burritos, tamales, enchiladas*. Ces derniers sont la plupart du temps assez corrects comme les *frijoles refritos* (purée de haricots), mais rien ne vaut les plats que l'on prépare soi-même.

TAMARIN De saveur fruitée, il est utilisé pour préparer des boissons astringentes et quelques assaisonnements. On en trouve facilement dans les épiceries exotiques.

TOMATILLOS Ces petites tomates vertes à peau brune sont essentielles pour certains plats. Les tomates vertes ne les remplacent pas !

TECHNIQUES DE BASE

Inutile de disposer d'une batterie de cuisine sophistiquée. En vérité, les traditionnelles *cazuelas* et *ollas* en terre cuite ne sont pas très pratiques ! Cocottes, sauteuses et faitouts en fonte sont parfaits. Il faut également une grande poêle épaisse, et un ou deux poêlons (de préférence en fonte), un grand et un petit. Quelques saladiers, bols et ramequins, de bons couteaux pointus et une planche à découper complètent l'équipement de base. Un mortier est très utile pour piler certains ingrédients, de même qu'un mixeur et un robot de cuisine pour réussir sauces et purées. Pour moudre les épices, un moulin à café vous rendra service. Mais n'oubliez pas de bien le nettoyer après usage !

Préparation des chilis et techniques de base

Pour les gros chilis secs (*ancho, California, New Mexico,* etc.) : retirez tige, graines et veines intérieures qui contiennent l'essentiel de la substance piquante. Coupez-les en grosses lamelles, et faites-les griller à sec ou avec un peu d'huile, dans une poêle chaude ou sur une plaque. Maintenez-les bien à cuire pendant quelques secondes jusqu'à ce qu'ils changent de couleur et grésillent. Puis retournez-les et procédez à la même opération. Évitez qu'ils ne soient trop grillés car ils deviendraient amers. Ensuite, mettez les chilis dans un bol et recouvrez-les d'eau bouillante. Placez un couvercle sur le bol pour bien laisser mariner les piments pendant au moins 30 minutes. L'eau de trempage est parfois utilisée pour certaines recettes.

Les gros chilis frais (*anaheim, poblano*) sont souvent grillés à même la flamme jusqu'à ce que la

peau cloque. Vous pouvez aussi les griller à sec ou sur un gril. Quand la peau des piments est bien éclatée, mettez-les dans un sac en plastique pendant 20 minutes pour les étuver. Ils seront alors plus faciles à peler.

La cuisson à sec : la cuisine mexicaine traditionnelle est rarement préparée au four ou au gril. On préfère les plaques de cuisson bien chaudes et déjà garnies d'épices, ou les poêles à sec. On cuisine de cette façon les tomates, avant de les incorporer aux sauces, l'ail, qui ainsi s'adoucit, les noix et les graines, et bien sûr les chilis. Mais à défaut, vous pouvez bien sûr vous servir du gril.

Piment grillé

À TABLE,
UN ART MÈXICAIN

À l'origine influencées par l'Espagne d'antan, les coutumes alimentaires des Mexicains s'adaptent peu à peu au rythme de vie de la société moderne.

Traditionnellement, une journée comprenait quatre repas : l'*almuerzo*, soit un petit déjeuner léger à base de pâtisseries, café ou chocolat et jus d'orange. On le prenait plutôt tard, vers 9 heures ou 9 heures 30. Les rares lève-tôt mangeaient quelque chose de plus substantiel, par exemple des *tacos* ou des *enchiladas*. Ensuite, vers 10 heures 30 ou 11 heures, on dégustait un copieux deuxième petit déjeuner : la *merienda*, avec des *huevos rancheros*, des omelettes et même des viandes grillées. Vers 14 heures, on se réunissait pour la *comida*, le principal repas de la journée, qui se composait aisément d'une dizaine de plats, durait deux ou trois heures, et était suivi d'une ou deux heures de repos: la célèbre sieste. La *cena* – le dîner –, version allégée de la *comida*, commençait rarement avant 21 heures, et se prolongeait souvent jusqu'à minuit.

Chaque repas, sauf peut-être l'*almuerzo*, offrait l'occasion de parler, de rencontrer des amis et la famille, de se détendre.

Mais aujourd'hui, à cause des valeurs des « gringos », les Mexicains modifient peu à peu les habitudes ancestrales. La *comida* se fait plus rare, surtout dans les grandes villes, et par conséquent, le dîner, pris en général vers 20 heures, devient plus important.

Les recettes que nous vous proposons suivent néanmoins le déroulement d'une *comida* : entrées, *sopa*, *pasta*, poisson, viande ou volaille, *postre* (dessert), café. Mais à vous d'adapter selon votre goût et votre temps. Commençons donc par les bases – tortillas et condiments –, et en fin d'ouvrage, vous trouverez tout ce qui concerne les boissons. Bon appétit !

CI-DESSOUS : un repas à Huejofzingo À DROITE : agaves à Candelaria.

TORTILLAS DE MAÏS

POUR 12 TORTILLAS ENVIRON

450 g de farine de maïs
300 ml d'eau
1 cuil. à café de sel

◆ Mélangez tous les ingrédients dans une jatte pour préparer la *masa*. Une pâte trop humidifiée a une consistance collante : dans ce cas, ajoutez-y de la *masa harina* et malaxez bien. Trop sèche, la *masa* se brise : ajoutez délicatement un peu d'eau. N'hésitez pas à bien travailler la pâte : plus on la pétrit, meilleure elle est ! Et elle n'a pas besoin de lever. Vous pouvez l'aromatiser avec des chilis séchés broyés ou du fromage râpé (type parmesan)

◆ Ensuite, il y a trois manières de procéder pour préparer les tortillas :
– Vous faites passer la boule de *masa* d'une main dans l'autre jusqu'à ce que la pâte forme une galette bien plate. C'est la méthode traditionnelle, mais ce n'est pas facile du tout et cela prend du temps !
– Vous vous servez d'une presse à tortillas. Petite astuce : placez deux sacs en plastique pour que la pâte ne colle pas à la presse.
– Ou vous pouvez tout simplement utiliser un rouleau à pâtisserie standard. Roulez et étirez la boule de *masa* entre deux sacs en plastique, qui collent moins que le papier sulfurisé.

◆ Pour la cuisson, employez soit un *comal*, c'est-à-dire une plaque chauffante ronde en fonte ou en terre cuite que l'on place directement sur la flamme, soit un gril posé à même la flamme, soit encore une poêle épaisse (ne pas mettre d'huile). Chaque tortilla doit être cuite 2 ou 3 minutes de chaque côté, jusqu'à ce que les bords commencent à se lever et qu'elle soit légèrement dorée.

◆ Si vous voulez réchauffer les tortillas, humidifiez les galettes si elles sont trop sèches et passez-les directement sur le feu. Vous pouvez aussi utiliser un *comal*, un micro-ondes, ou un four tiède réglé à 70-90 °C : dans ce dernier cas, enveloppez les tortillas de serviettes en papier, d'un chiffon humide et de papier d'aluminium.

◆ Faites frire les galettes de maïs dans 1,2 à 2,5 cm d'huile très chaude (huile de maïs ou d'arachide), ou dans du saindoux. Au bout d'1 minute environ, vos tortillas seront souples ; après 2 à 3 mn, elles seront bien craquantes : vous aurez des *tostadas*. Pour les *tostaditas* (chips), découpez des tortillas de 10 cm de diamètre en quartiers et faites-les frire dans beaucoup d'huile jusqu'à ce qu'elles soient dorées et croustillantes.

Il faut compter une heure de travail pour préparer une douzaine de tortillas. Faute de temps, n'hésitez donc pas à vous les procurer dans une épicerie de produits exotiques ou dans une *tortilleria*.

LES TORTILLAS

La tortilla a la même importance dans la cuisine mexicaine que la pomme de terre dans la cuisine d'Europe du Nord et d'Amérique du Nord : un aliment de base nourrissant, bon marché, servi avec la majorité des plats. Traditionnellement, le maïs séché était bouilli pour confectionner le nixtamal, *moulu ensuite sur un* metate *avec un* metlalpil *pour confectionner la* masa *(pâte de maïs). Aujourd'hui, avouons-le, la plupart des gens achètent leur tortillas déjà préparées. Mais la plus simple des tortillas de maïs n'est rien d'autre qu'un mélange de* masa harina, *d'eau et de sel. Leur taille varie : entre 3-5 cm (tortillas pour l'apéritif) et 15 cm de diamètre.*

TORTILLAS DE BLÉ

Plus chères que les tortillas de maïs, les tortillas de blé font toutefois partie intégrante de la cuisine mexicaine. On les frit rarement et on n'en fait jamais de chips. En revanche, pour les burritos ou les tostadas compuestas (salades de tostadas), les tortillas de blé sont irremplaçables ! Les plus grandes peuvent avoir jusqu'à 30 cm de diamètre.

◆

POUR 12 TORTILLAS

**450 g de farine de blé
1 cuil. à café de sel
1 cuil. à café de levure chimique
1 cuil. à soupe de saindoux
180 ml d'eau froide**

◆ Mélangez tous les ingrédients ; ajoutez le saindoux coupé en morceaux ; ajoutez suffisamment d'eau pour former une pâte consistante que vous roulerez et étirerez sur une planche légèrement farinée (vous pouvez aussi utiliser des sacs en plastique comme pour les tortillas de maïs)

LA PRESSE À TORTILLAS

Un ustensile bon marché qui vous simplifiera merveilleusement la vie pour confectionner des tortillas par dizaines !

BURRITOS

Habituellement, on confectionne le « burrito » (cela signifie « petit âne » en espagnol) à partir de grandes tortillas de blé de 30 cm de diamètre. Farcissez-les, repliez l'une des extrémités pour empêcher la farce de tomber, et formez un rouleau. On farcit les burritos de carne asada (page 59), de viande émincée comme pour le Ropa Vieja (page 64), de fromage avec de la purée de haricots (voir page suivante), d'œufs brouillés ou de restes divers (rôti, poulet.). Une recette délicieuse et très pratique !

À GAUCHE : Une femme à Inchitan achète des tortillas.
CI-DESSUS : une presse à tortillas.
À DROITE : *enchiladas* (une autre variété de tortillas roulées). Pour préparer ce petit délice, assouplissez les tortillas en les plongeant dans une huile chaude pendant quelques secondes, et farcissez-les à votre goût : fromage, viande finement émincée, bœuf haché assaisonné.

FRIJOLES

❖❖❖❖❖❖❖❖❖❖❖❖❖❖❖❖❖❖❖❖❖

Les frijoles – haricots – sont l'un des plats de base de la cuisine mexicaine. Il existe des variantes suivant les régions : haricots noirs, rouges, blancs, pintos, pinquitos. Commencez toujours par les faire bouillir. Ce sont des préparations très nourrissantes !

❖

FRIJOLES SIMPLES

❖❖❖❖❖❖❖❖❖❖❖❖❖❖❖❖❖❖❖❖❖❖❖❖❖❖❖❖❖❖❖❖

POUR 4–6 PERSONNES

450 g de haricots
2 oignons finement émincés
5 à 10 gousses d'ail hachées
1 feuille de laurier
2 à 4 chilis Serranos
3 cuil. à soupe de saindoux ou d'huile d'olive
1 tomate pelée, épépinée et détaillée en petits dés
Sel et poivre

◆ Lavez et triez les haricots ; ne les laissez pas tremper. Plongez-les dans une marmite d'eau froide, ajoutez l'un des oignons, la moitié de l'ail, la feuille de laurier et les chilis. Couvrez, portez à ébullition, puis laissez cuire à feu doux. Ajoutez un peu d'eau si nécessaire. Quand les haricots commencent à se rider, ajoutez une cuillère à soupe de saindoux ou d'huile, et faites cuire jusqu'à ce que les haricots soient souples. À titre indicatif, cela peut prendre presque une journée ! Quand ils sont tendres, salez-les. Si vous salez avant, les haricots risquent de durcir. Puis laissez cuire pendant encore une demi-heure, sans rajouter d'eau.

◆ Dans une poêle, faites revenir le deuxième oignon et le restant d'ail à feu doux avec le reste de saindoux ou d'huile, jusqu'à ce qu'ils soient dorés. Ajoutez alors la tomate et faites cuire pendant deux ou trois minutes. Incorporez l'équivalent de 3 cuillères à soupe de haricots préalablement écrasés en purée dans leur liquide de cuisson pour obtenir une pâte douce et épaisse. Versez cette préparation dans la marmite et remuez.

FRIJOLES REFRITOS

❖❖❖❖❖❖❖❖❖❖❖❖❖❖❖❖❖❖❖❖❖❖❖❖❖❖❖❖❖❖❖❖

(Haricots frits)

POUR 6 PERSONNES

Haricots préparés comme pour la recette précédente
450 g de saindoux

◆ Faites fondre 2 cuillères à soupe de saindoux dans un grand poêlon ou une casserole en fonte. Ajoutez les haricots écrasés en purée, comme indiqué précédemment, l'équivalent d'une cuillère à soupe à chaque fois. Quand la préparation devient trop épaisse, ajoutez du saindoux : faites-en ramollir d'avance, par exemple au micro-ondes, et gardez-le dans un récipient en verre. Inutile d'utiliser tout le saindoux même si un Mexicain n'hésiterait pas à le faire.

◆ Vous obtiendrez une préparation épaisse, plutôt sèche, très riche et crémeuse. Vous pouvez également remplacer le saindoux par de l'huile d'olive pour un plat plus léger.

SOUPE DE HARICOTS NOIRS

❖❖❖❖❖❖❖❖❖❖❖❖❖❖❖❖❖❖❖❖❖❖❖❖❖❖❖❖❖❖❖❖

POUR 6 PERSONNES

225 g de haricots noirs
2 l d'eau
4 cuil. à soupe de saindoux
1 oignon moyen, finement émincé
2-4 gousses d'ail écrasées
1/2 cuil. à café de chili rouge séché en poudre
(*arbol*, par exemple)
1 tomate pelée, épépinée et coupée en petits cubes
1/4 de cuil. à café d'origan
Sel
75 ml de sherry

◆ Lavez et triez les haricots ; ne les faites pas tremper. Dans une marmite d'eau, laissez-les cuire jusqu'à ce qu'ils soient tendres. Chauffez le saindoux dans une poêle ou un poêlon. Faites revenir l'oignon, l'ail et le chili jusqu'à ce que l'oignon soit fondu. Mettez la tomate et gardez sur le feu pendant encore une minute. Ajoutez cette préparation aux haricots, parfumez d'origan et salez à votre goût. Laissez mijoter à couvert jusqu'à ce que les haricots soient cuits.

◆ Pressez les haricots dans une passoire, ou – mais ce sera moins bon – passez-les au mixeur. Versez le tout dans le récipient de cuisson et faites cuire encore un peu. Ajoutez le sherry deux minutes avant de servir.

À DROITE : *Frijoles refritos*

SOUPES DE HARICOTS BLANCS

POUR 4–6 PERSONNES

225 g de haricots blancs
500 g de jarret de porc,
coupé en petits cubes de 2,5 cm
2 cuil. à soupe de saindoux
1 oignon finement émincé
1/2 poivron vert, détaillé en dés
100 g de jambon coupés en petits cubes
2 chorizos
350 g de *salsa de jicamate* (voir page 25)
ou 1 boîte de sauce tomate

Sel
Une feuille de chou pour la garniture

◆ Faites tremper les haricots pendant la nuit, puis faites-les bouillir. N'hésitez pas à rajouter de l'eau pour qu'ils soient bien couverts. Au bout de 2 heures environ, salez. Faites bouillir la viande de porc préparée en petits cubes pendant 1/2 heure à 1 heure, dans juste assez d'eau pour que la viande soit recouverte.

◆ Dans une grande marmite, chauffez le saindoux, puis faites revenir l'oignon, le poivron, le jambon et les chorizos que vous aurez pelés. Ajoutez les haricots et le porc avec leur eau de cuisson, et remuez. Garnissez avec le chou ; laissez cuire à feu doux pendant 2 à 3 heures pour que la préparation épaississe et devienne bien homogène.

ARROZ

(Riz)

*Le riz se marie à merveille avec les saveurs épicées
des plats mexicains. Il accompagne délicieusement
omelettes, carne asada, côtelettes de porc.
On le fait souvent cuire avec un peu de chili en poudre :
une cuillère à café de pasilla doux
par verre de riz, par exemple.
Le riz blanc, tout simple, rehausse les mets poco picante ;
le riz à l'espagnole, ou riz mexicain,
est revenu à la poêle avant d'être cuit dans l'eau,
et parfumé au safran*

◆

RIZ À L'ESPAGNOLE

POUR 6 PERSONNES

2 oignons moyens émincés
Au moins 2 gousses d'ail hachées
Au moins 2 chilis serranos broyés (frais ou en conserve)
450 g de tomates épépinées
ou 1 boîte de tomates en conserve
60 ml d'huile d'olive
450 g de riz
1/2 cuil. à café de graines de cumin entières
1/4 cuil. à café de safran
1 l de bouillon de poulet
200 g de petits pois frais ou congelés
Sel et poivre

◆ Mixez l'oignon, l'ail, les chilis et les tomates pour former une purée.
◆ Chauffez l'huile dans un poêlon ou une poêle à fond épais, et faites revenir le riz en le mélangeant souvent jusqu'à ce qu'il soit doré. Ajoutez la préparation à base de tomates, les épices et le bouillon de poulet ; portez à ébullition en remuant fréquemment. Quand le riz a absorbé tout le liquide visible (comptez 10 à 20 minutes), ajoutez les petits pois ; remuez brièvement, puis couvrez bien et laissez cuire à feu très doux pendant encore une vingtaine de minutes.

ARROZ CON POLLO

(Poulet au riz)

POUR 4 PERSONNES

**1 poulet de 1,5 kg, et les mêmes ingrédients
que pour la recette précédente**

◆ Découpez le poulet en morceaux et faites-le frire dans une grande poêle jusqu'à ce qu'il soit doré. Égouttez et réservez. Dans la même huile, faites frire l'oignon émincé avec l'ail. Égouttez et mélangez au poulet en même temps que les tomates, le bouillon et les épices. Portez à ébullition, puis laissez mijoter pendant environ 1/2 heure.
◆ Toujours dans la même huile – ajoutez-en un peu si nécessaire – faites frire le riz jusqu'à ce qu'il soit doré, en remuant souvent. Ajoutez le riz au poulet et remuez bien ; portez de nouveau à ébullition, puis procédez comme pour le riz à l'espagnole. Les petits pois sont facultatifs.

PAELLA

POUR 4–6 PERSONNES

◆ On concocte librement une délicieuse paella avec certains ou tous les ingrédients suivants : crevettes ou bouquets (entiers ou décortiqués) ; palourdes, huîtres ou autres coquillages ; conques ou escargots ; porc détaillé ; petits crabes ; langoustines ; morceaux de poissons. On peut également y ajouter de la volaille, du poulet par exemple. Chauffez de l'huile d'olive dans un grand poêlon et faites comme si vous prépariez un *riz à l'espagnole* ou un *arroz con pollo* en incorporant en plus les ingrédients de votre paella. Laissez mijoter. Il faut régulièrement couvrir et découvrir le poêlon, sinon la paella devient trop sèche ou trop liquide par endroits.

À GAUCHE : paella
CI-DESSUS : *arroz con pollo*
À DROITE : guitaristes à Mexico

SALSAS

Littéralement, salsa signifie « sauce », mais cette appellation désigne souvent la salsa cruda (sauce crue) : un condiment essentiel que l'on dispose sur la table aussi fréquemment que le sel et le poivre. On y trempe les tortilla chips ou on s'en sert pour assaisonner les plats salés : omelettes, chiles rellenos, viandes. La salsa cruda conservée au réfrigérateur « mûrit » en une nuit : elle devient plus forte. Pour la préparation, on mélange chilis frais ou séchés, oignons, tomates et tomatillos, ail, et coriandre. Parfois, on ajoute de l'origan, du vinaigre et de l'huile d'olive.

◆

SALSA FRESCA

Un petit bouquet de coriandre
1 gros oignon, blanc ou rouge
1,650 kg de tomates en boîte
1 à 4 gousses d'ail
2 chilis *serranos* ou 1 *jalapeno*

◆ Lavez la coriandre, ôtez les tiges trop épaisses et les racines. Un néophyte aura tendance à utiliser moins d'une cuillère à café de coriandre hachée alors qu'un Mexicain en prendrait à profusion.
◆ Émincez finement l'oignon et les tomates, et hachez l'ail, le piment et la coriandre. Mettez tous les ingrédients dans un saladier, et à la main, remuez-les vivement en les pressant pour diffuser arômes et saveurs. Si vous utilisez un robot électrique, pilez et mixez l'ail et le piment en premier, puis l'oignon et enfin les autres ingrédients. Mais c'est le mortier de cuisine qui convient le mieux à la préparation de cette recette traditionnelle.

VARIANTES DE SALSA

➤ Faites griller un ou deux chilis *poblano* ou *anaheim*, et lorsque la peau se met à cloquer, pelez-la. Ôtez les graines et l'intérieur, hachez les piments et ajoutez-les à la salsa.
➤ Utilisez des tomates fraîches. Si vous le désirez, vous pouvez les peler (plongez-les au préalable dans une eau bouillante pendant 10 à 30 secondes). De même, selon votre goût, vous pouvez les épépiner.
➤ Pour préparer une salsa plus épaisse, prenez des tomates concassées en boîte et de la purée de tomates.
➤ Vous pouvez aussi ajouter un peu d'origan, et/ou une cuillère à soupe de vinaigre de vin ou de jus de citron vert, et/ou une cuillère à soupe d'huile d'olive. La coriandre fraîche parfume délicieusement les *salsas*.
➤ Si vous ne trouvez pas de chilis *serrano* frais, découpez un piment rouge en lamelles et pilez-le dans un peu d'eau avec de l'ail ; laissez-le tremper pendant une quinzaine de minutes et ajoutez-le à la tomate, l'oignon et la coriandre.
➤ Pour une *salsa* simple et classique, ajoutez cette même préparation de piment et d'ail à la moitié d'une boîte de sauce tomate.

SALSA VERDE

(Sauce verte)

La salsa verde est également un condiment cru, mais en principe, plus épicée que la salsa cruda. Elle relève des plats simples, peu chers, et agrémente tout aussi bien les mets les plus raffinés. On peut également y tremper des tortillas chips ou de petits légumes crus, mais attention, la salsa verde est très forte.

◆

POUR 2 TASSES

1,300 kg de *tomatillos* en boîte
1 petit oignon blanc
2 à 4 chilis *serranos*
2 à 4 gousses d'ail
1 cuil. à soupe de coriandre
fraîche hachée

◆ Mixez les ingrédients pour former une purée ou hachez-les très finement, ou encore pilez le tout dans un mortier.
◆ Si vous utilisez des *tomatillos* frais, ôtez la cosse sèche, mais ne tentez pas de les peler ou de les épépiner : il ne resterait plus rien ! Vous pouvez augmenter la quantité de coriandre à volonté. Une *salsa verde* authentique se compose uniquement de *tomatillos*, de chilis et de coriandre.

GUACAMOLE

*C'est le troisième condiment essentiel avec la salsa cruda
et la salsa verde. À la base, c'est simplement une purée d'avocats
que chacun agrémente et aromatise à sa manière.
Quand vous en préparez, prévoyez large. On déguste
ce délice à la petite cuillère ! Servez avec des tortillas
chips que l'on trempera
dans le guacamole.*

◆

GUACAMOLE SIMPLE

POUR 4 PERSONNES

1/2 piment rouge séché (*arbol* de préférence)
1 gousse d'ail
2 gros avocats ou 4 petits, très mûrs

◆ Épépinez et coupez le piment en lamelles ; pilez-le dans un
mortier avec l'ail et une ou deux cuillères à soupe d'eau. Laissez
mariner pendant 5 à 10 minutes. Écrasez les avocats avec un presse-
purée. Passez le mélange de piment et d'ail au chinois, puis
incorporez-le à la purée d'avocats. Cette préparation est parfaite en
hors-d'œuvre. Doublez les quantités d'ail et de piment pour en faire
une garniture. Dans les deux cas, il n'est pas nécessaire de saler..

GUACAMOLE ORIGINAL

POUR 4 PERSONNES

Mêmes ingrédients que dans la précédente recette
1 tomate moyenne
1/2 petit oignon blanc
1 cuil. à soupe de coriandre hachée
Sel

◆ Pelez, épépinez et détaillez la tomate. Hachez l'oignon et ajoutez
le tout au guacamole. Salez à votre goût.
◆ Pour varier la recette, vous pouvez supprimer le piment rouge,
et/ou l'ail, et incorporer à la place un chili *serrano* finement émincé ;
Vous pouvez également ajouter de la coriandre fraîche et hachée. Ce
guacamole n'est pas forcément meilleur que la recette de base,
simplement différent.

PAGE DE GAUCHE : *carnaditas con salsa verde*
CI-DESSUS, À DROITE : *guacamole*
CI-CONTRE : étal d'ail au marché de Toluca

SALSAS CUISINÉES

Les deux principaux condiments cuisinés sont la salsa de jicamate (sauce à la tomate), et le mole verde (sauce verte ou sauce aux tomatillos). On les trouve facilement dans le commerce, mais elles ne sont vraiment pas compliquées à préparer. Le délice obtenu vaut bien l'effort. Si vous utilisez de la sauce tomate en conserve, mélangez-la à un petit oignon et à une ou deux gousses d'ail que vous aurez préalablement fait revenir dans de l'huile d'olive.

◆

SALSA DE JICAMATE

(Sauce à la tomate)

POUR L'ÉQUIVALENT DE TROIS BOÎ-
TES DE CONSERVE STANDARD

1,650 kg de tomates en boîte, concassées
1,170 kg de purée de tomates en boîte
2 gros oignons finement émincés
5 à 10 gousses d'ail
2 à 4 chilis *serrano*
200 ml de vin rouge ou de sherry
Persil, sauge, romarin, thym et origan (1 pincée de chaque)
Sel et poivre
Huile d'olive, sucre si nécessaire et coriandre

◆ Faites revenir les oignons et l'ail dans deux ou trois cuillères à soupe d'huile d'olive. Quand ils sont dorés et tendres, mettez les chilis *serrano*, les tomates, la purée de tomate, le vin, les épices, le sel et le poivre. Sucrez si la sauce est trop âpre : cela dépendra de la qualité du vin et des tomates, mais bien souvent, vous n'aurez pas besoin d'ajouter du sucre. Laissez cuire à feu doux pendant 15 à 30 minutes. Ajoutez la coriandre une minute ou deux avant la fin de la cuisson.

MOLE VERDE

(Sauce verte)

POUR L'ÉQUIVALENT DE 2 À 3 BOÎ-
TES DE CONSERVE STANDARD

1,300 kg de *tomatillos* en boîte
5 gros chilis frais (type *anaheim* ou *poblano*)
60 g d'oignons finement émincés
3 tortillas de maïs découpées en petits morceaux
1 à 4 gousses d'ail
100 g d'épinards frais ou surgelés (facultatif)
750 ml de bouillon de poulet

◆ Préparez les chilis en suivant les indications données pages 12 et 13. Pelez-les, videz-les, et découpez-les en lanières.
◆ Égouttez les *tomatillos* et mixez-les avec tous les ingrédients sauf le bouillon pour former une purée.
◆ Ajoutez le bouillon, mélangez, et faites mijoter à petit feu pendant environ une heure. Ajoutez un peu de bouillon si la sauce est trop épaisse.

PORC ET POULET
AU MOLE VERDE

POUR 4 À 6 PERSONNES

1,5 kg de porc (côtes ou autre partie maigre)
4 ou 5 cuisses de poulet
1 préparation de *mole verde* (voir ci-dessus)

◆ Cette recette est une suggestion parmi tant d'autres, car le *mole verde* est délicieux avec toutes les viandes et volailles. Mais nous le recommandons particulièrement avec du porc et du poulet. Prévoyez une belle côte de porc par personne (et à tout hasard, une portion supplémentaire), ou découpez la viande en cubes d'environ 5 cm d'épaisseur.
◆ Faites cuire le porc et le poulet dans de l'eau bouillante jusqu'à ce qu'ils soient très tendres : entre 1 et 2 heures. Si vous avez choisi des côtes de porc, la chair doit se détacher de l'os. Ensuite, faites revenir le tout à la poêle ou dans une sauteuse, pour que la préparation se colore.
◆ Dans un grand plat, versez viande et *mole verde*, puis enfournez à faible température (moins de 100 °C) pendant un peu plus d'1 heure, pour que les arômes puissent se diffuser dans la sauce.
◆ Ce plat se congèle facilement et se réchauffe sans problème.

Ingrédients frais au marché de Toluca
ENCART : porc et poulet au *mole verde*

AUTRES SAUCES ET CONDI-MENTS

Ce sont des préparations à base de vinaigre, des mélanges entre salsas et chutneys. On les utilise en condiments, pour des marinades, ou, avec davantage de vinaigre, pour préparer le poisson à l'escabèche. Parmi les trois recettes suivantes, la sauce adobo est celle qui nécessite le plus de temps. Mais comme elle se conserve plusieurs mois au réfrigérateur, et qu'elle est succulente, vous ne regretterez pas votre effort.

SAUCE ADOBO

POUR ENVIRON 110 ML

4 chilis *ancho* pas trop secs (60 g)
6 chilis *guajillo* pas trop secs (45 g)
8 gousses d'ail, non pelées
10 grains de poivre noir
10 à 15 mm de cannelle en bâtonnet
2 grandes feuilles de laurier émiettées
1/2 cuil. à café d'origan séché
1/2 cuil. à café de thym séché
3 cuil. à soupe de vinaigre de vin ou de cidre
2 clous de girofle entiers
Une bonne pincée de cumin
1 à 2 cuil. à café de sel

◆ Grillez et faites tremper les chilis en suivant les indications pages 12 et 13. Si vous ne trouvez pas de *guajillo*, utilisez des *ancho* ou des *pasillas*. Des chilis *California* ou *New Mexico* donneront moins de saveur.
◆ Dans une poêle à fond épais, grillez à sec l'ail non pelé. Après 10 à 15 minutes, l'ail sera très tendre : laissez-le refroidir et pelez les gousses.
◆ Pilez la cannelle, les clous de girofle, les grains de poivre, les feuilles de laurier et le cumin dans un mortier ou avec un moulin à épices (à défaut, servez-vous d'un moulin à café que vous laverez soigneusement après).
◆ Égouttez les chilis et passez-les au mixeur avec l'ail pelé, les herbes et les épices, le vinaigre, et deux ou trois cuillères à soupe d'eau.
◆ Voici maintenant l'étape la plus délicate. Mixez la préparation pour obtenir une pâte onctueuse. Vous devrez sans doute vous y prendre à plusieurs fois. N'hésitez pas à ajouter un peu d'eau, l'équivalent d'une cuillère à soupe, mais pas trop : la sauce perdrait en saveur ou serait trop liquide.
◆ Ensuite, tamisez la sauce dans une passoire en acier inoxydable, en vous aidant d'un pilon ou d'une large spatule pour bien presser la préparation. Il vous restera une pâte crémeuse, très lisse, et une certaine quantité de pulpe piquante qu'il faut ôter. Conservez la sauce au réfrigérateur, dans un récipient en verre bien fermé (pas en métal ! Cette sauce a des vertus corrosives).

PUERCO ADOBADO

◆ Badigeonnez généreusement des côtelettes de porc avec de la sauce *adobo*.
◆ Laissez mariner la préparation pendant une nuit (dans un sac en plastique, ce sera plus pratique !)
◆ Poêlez, grillez ou cuisez au barbecue le lendemain.

RECADO DE BISTECK

Cette préparation est plus simple que l'adobo. Son nom est trompeur (bisteck signifie « bifsteak ») car on la déguste avec bien d'autres mets que les steaks : on l'apprécie avec le poisson à l'escabèche (voir page 54) ou on en badigeonne un rôti de bœuf avant de le laisser mariner pendant une nuit. Pour cette sauce, utilisez de préférence des aromates frais.

◆

POUR ENVIRON 110 ML

24 gousses d'ail
2 cuil. à café de grains de poivre noir
1/2 cuil. à café de quatre-épices
1/2 cuil. à café de clous de girofle entiers
1/2 cuil. à café de graines de cumin
1 cuil. à soupe d'origan séché
1 cuil. à café de sel
2 cuil. à soupe de vinaigre de vin
ou de cidre
1 cuil. à café de farine

◆ Poêlez à sec l'ail non pelé comme pour la sauce *adobo*.
◆ Mixez le poivre noir, les quatre-épices, les clous de girofle, le cumin et l'origan.
◆ Pelez l'ail, découpez-le finement, et dans un grand mortier, pilez-le avec les épices. Quand la préparation est bien homogène, versez le vinaigre et la farine, et mélangez. Laissez mariner la nuit dans un récipient en verre fermé. Saveurs et arômes n'en seront que meilleurs.

CI-DESSUS : ingrédients pour la sauce *adobo*
CI-DESSOUs : *puerco adobado*

ESCABECHE

❖❖❖❖❖❖❖❖❖❖❖❖❖❖❖❖❖❖❖❖❖❖❖❖❖❖❖

POUR ENVIRON 1 L

6 chilis *cubanelle* marinés
2 gros poivrons verts
2 gros oignons blancs émincés
2 (ou plus) gousses d'ail hachées
450 ml de vinaigre
4 cuil. à soupe d'huile d'olive
1 cuil. à café de sel
1/2 cuil. à café d'origan
2 feuilles de laurier
1/4 de cuil. à café de poivre noir fraîchement moulu
Une pincée de cumin

◆ Découpez les chilis en lamelles et ôtez les graines. Découpez les poivrons en lamelles, ôtez graines et veines. Faites-les revenir dans un faitout avec l'oignon et l'ail jusqu'à ce qu'ils soient tendres. Ajoutez tous les ingrédients et laissez cuire à feu vif. Dès que la préparation commence à frémir, ôtez du feu, et laissez refroidir. Cette sauce escabèche est parfaite pour les poissons; pour accompagner viande ou volaille, ne mettez que deux cuillères à soupe d'huile..

HORS-D'ŒUVRE ET AMUSE-GUEULES

Il n'y a pas de véritable différence entre hors-d'œuvre, amuse-gueule et snacks. La plupart des recettes suivantes peuvent même composer un plat principal. Au Mexique, le queso fundido est une entrée typique. En amuse-gueule, on trempe des tortillas chips dans le chili con queso et les quesadillas sont parfaites pour un repas léger.

◆

QUESO FUNDIDO

(Fromage fondu)

◆ Chauffez un plat au four à environ 200 °C. Quand il est bien chaud, garnissez-le de petits dés de fromage (*jack* ou cheddar). Pour aromatiser d'avantage, vous pouvez verser quelques gouttes de cognac sur le fromage, puis enfournez de nouveau pendant 5 à 10 minutes. Servez avec des tortillas de blé chaudes et de la *salsa cruda*.

CHILI CON QUESO

POUR 2 PERSONNES

1 oignon moyen finement émincé
30 g de beurre
250 g de tomates en boîte, concassées
1 à 3 chilis *serrano*
Environ 500 g de *jack* ou de cheddar râpé
120 ml de crème aigre (facultatif)

◆ Faites revenir l'oignon à feu doux dans le beurre jusqu'à ce qu'il fonde. Ajoutez les tomates et les piments ; portez à petit feu en remuant fréquemment pour que la préparation s'épaississe. Ajoutez le fromage sans cesser de remuer. Laissez cuire en remuant toujours, jusqu'à ce que le fromage ait fondu. Pour y tremper des chips de tortillas, affinez le *chili con queso* en ajoutant de la crème.

CI-DESSUS, À GAUCHE : une fillette à Inchitan
CI-DESSUS, À DROITE : *chili con queso*
CI-CONTRE : *quesadillas sincronizadas*

QUESADILLAS

••

*Les quesadillas composent une entrée à la fois délicieuse,
très nourrissante et très économique : ce sont simplement des
tortillas grillées et farcies de fromage fondu. Nous vous
recommandons l'oaxaca, mais aussi du jack, du cheddar
ou de la mozzarella.*

◆

◆ Dans une poêle avec très peu d'huile, ou sur le gril, faites frire une tortilla jusqu'à ce qu'elle soit tendre ; retournez-la à l'aide d'une spatule ; mettez une poignée de fromage râpé au milieu, pliez-la en deux, et poursuivez la cuisson en retournant la tortilla de temps en temps pour faire bien fondre le fromage.

◆ Les *quesadillas sincronizadas* (voir photo ci-dessous) sont des sortes de chaussons : deux *quesadillas* l'une sur l'autre farcies de fromage fondu ; on les sert découpées en petites portions.

◆ Si vos tortillas ne sont pas précuites, garnissez-les de fromage, pliez-les en deux, pincez les rebords des galettes et plongez-les dans de l'huile bien chaude.

EMPANADAS

Les empanadas sont de petits friands remplis d'une farce sucrée ou salée. N'hésitez pas à utiliser des restes d'autres plats selon votre goût et votre imagination pour les confectionner. La recette suivante vous propose une préparation de base salée.

POUR 4 PERSONNES

500 g de pâte brisée
250 g de bœuf haché
1 oignon moyen
1 petit poivron rouge ou vert
2 tomates moyennes
1 cuil. à soupe de raisins secs, épépinés
1 chili rouge séché (type *arbol*)
1/2 cuil. à café de cumin
2 cuil. à soupe d'huile d'olive
Sel et poivre

◆ Pelez, épépinez et coupez finement les tomates. Ôtez les graines et les veines des poivrons, et détaillez-les en petits morceaux. Émincez l'oignon. Chauffez l'huile dans un poêlon et faites frire ces ingrédients jusqu'à ce qu'ils soient tendres. Ajoutez le bœuf, et portez à feu vif pour que la viande soit bien dorée.

◆ Émiettez le piment séché. Pilez les graines de cumin. Vous pouvez aussi les utiliser entières, mais l'arôme sera plus léger. Ajoutez le piment, le cumin et les raisins dans la préparation. Assaisonnez à votre goût et laissez cuire pendant encore 10 minutes. Réservez.

◆ Divisez et roulez la pâte en galettes de 12 cm de diamètre. Vous devriez en obtenir environ huit. Répartissez la farce, placez-en sur une moitié de chaque galette et repliez pour former un chausson. Ne farcissez pas trop, car la cuisson serait difficile !

◆ Préchauffez le four à 190 °C ; disposez-y les *empanadas* et laissez cuire pendant 35 minutes environ, jusqu'à ce qu'elles soient dorées et croustillantes. Servez chaud. Vous pouvez aussi faire frire les *empanadas* à la poêle, avec de l'huile.

TOSTADAS

Les impressionnantes tostadas grandes en forme de bol, c'est-à-dire les tortillas frites et farcies de toutes sortes de viandes, haricots et salades, ne sont pas très typiques. La véritable tostada compuesta mexicaine, servie aussi bien à la comida qu'à la merienda (le deuxième petit déjeuner), est composée des mêmes ingrédients, mais elle est plus petite et plus simple. Vous pouvez utiliser la garniture de votre choix. La recette suivante n'est qu'une suggestion parmi d'autres.

TOSTADA AU POULET

POUR 6 PERSONNES

6 tortillas de taille standard
Huile ou saindoux pour la friture
Un petit blanc de poulet
1 demi-laitue
3 tomates
500 g de *frijoles refritos* (haricots frits)
100 ml de crème fraîche
Garniture (facultative) : quelques petits oignons
de printemps émincés,
quelques morceaux d'avocat,
des olives, une pincée de paprika

◆ Faites bouillir le poulet jusqu'à ce qu'il soit parfaitement cuit.

◆ Chauffez l'huile dans un grand poêlon et faites frire les tortillas pour qu'elles deviennent croustillantes ; à titre indicatif, vous pouvez aussi acheter des *tostadas* toute prêtes.

◆ Sur chaque *tostada*, étalez une bonne couche de haricots (environ 2 à 3 cuillères à soupe par galette). Ajoutez-y un peu de poulet, de la laitue ciselée, de la tomate émincée et de la crème fraîche Garnissez à votre goût.

CI-DESSUS : empanadas
À GAUCHE : *tostadas*
PAGE DE DROITE : préparation de tortillas au marché de Toluca

HUEVOS

(Œufs)

Utilisés dans de nombreuses préparations, les œufs composent également la base de plats substantiels de la merienda (le deuxième petit déjeuner). Pourquoi ne pas essayer ces recettes pour un brunch original ?

◆

HUEVOS RANCHEROS

(Œufs façon rancho)

Au restaurant, les célèbres huevos rancheros varient beaucoup tant en qualité qu'en quantité ! On peut même les préparer avec des œufs brouillés.

◆

PAR PERSONNE

2 petites tortillas (10 cm de diamètre)
2 œufs
Du saindoux pour la friture
Salsa ranchera (voir ci-dessous) ou condiment de votre choix
Frijoles refritos (haricots frits)

◆ Si vous ne trouvez pas de petites tortillas, il vous suffit bien sûr de former des mini-galettes dans des tortillas de taille standard. Dans ce cas, découpez les tortillas à l'aide, par exemple, d'un petit bol.
◆ Faites frire les tortillas à votre goût. Elles peuvent être tendres ou bien croustillantes. Sur chaque galette frite, disposez un œuf sur le plat. Versez la *salsa* de votre choix et servez avec les haricots.

◆ Vous pouvez également commencer par garnir avec les haricots, puis ajouter l'œuf sur le plat.

SALSA RANCHERA

2 cuil. à soupe d'huile d'olive
1/2 boîte de tomates, égouttées et écrasées
Sucre si nécessaire
2 à 4 chilis *jalapenos*, découpés en fines lamelles
1 cuil. à soupe de vinaigre de vin
Sel et poivre

◆ Chauffez l'huile dans un poêlon et faites revenir les tomates jusqu'à ce qu'elles forment une purée épaisse. Assaisonnez et rectifiez avec du sucre si la sauce est trop âpre. Réservez. Ajoutez ensuite les piments émincés, le vinaigre et mélangez bien. Conservez la préparation au réfrigérateur pendant une nuit avant de servir.

TORTILLA DE HUEVO

(Omelette mexicaine)

À agrémenter à volonté de crevettes, poulet détaillé en petits dés. Et à servir avec des avocats ou du guacamole.

◆

POUR 2 PERSONNES

2 petits oignons blancs de printemps finement émincés
2 chilis *serrano* hachés
2 cuil. à soupe de saindoux ou de beurre pour la friture
1 petite tomate hachée
8 œufs
4 cuil. à soupe d'eau
Sel et poivre

◆ Faites revenir les oignons et les piments jusqu'à ce qu'ils soient dorés. Ajoutez la tomate. Laissez réduire pendant 3 à 5 minutes, en remuant de temps en temps.
◆ Battez les œufs avec l'eau et versez le mélange dans la préparation d'oignons, de piments et de tomate. Laissez cuire à feu doux, puis repliez l'omelette en deux avant de servir.

À GAUCHE : *huevos rancheros*
À DROITE : Indiens Tartahumara à Chihuaha

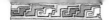

HUEVOS REVUELTOS

(Œufs brouillés)

Les Mexicains sont friands d'œufs brouillés à la viande : un peu de chorizo ou du jambon ou du machomo (voir recette ci-après). Voilà de quoi composer un brunch savoureux pour quatre personnes. Petit clin d'œil : le champagne se marie à merveille avec l'onctueuse saveur des huevos revueltos !

◆

POUR 4 PERSONNES

15 œufs
Sel et poivre
60 g de beurre
1 boite (ou l'équivalent) de haricots frits
Quelques feuilles de salade (laitue ou autre) ciselées
Tortillas de blé
Et, pourquoi pas, 1 bouteille de champagne !

◆ Chauffez le beurre à petit feu dans une poêle ; battez-y les œufs et assaisonnez à votre goût.
◆ Mélangez pour obtenir une consistance crémeuse.
◆ Servez avec des haricots, une garniture de salade, des tortillas. Et du champagne !

VARIANTE

1 ou 2 chilis *jalapenos* frais ou en pickles
Environ 150 g de jambon
Environ 200 g de chorizo
Environ 150 g de poisson fumé
Une poignée de *machomo* (voir ci-contre)

◆ Avec le chorizo, inutile d'utiliser beaucoup de beurre ! Pelez et coupez la saucisse et faites-la frire : sa graisse suffira amplement à préparer les œufs brouillés. Réduisez la chaleur de cuisson, ajoutez les œufs (et les chilis si vous le désirez) et mélangez jusqu'à ce que ce soit cuit. Cette préparation n'est pas très crémeuse.
◆ Avec le jambon, en revanche, utilisez la même quantité de beurre que dans la première recette. Découpez le jambon en lamelles et en dés plus épais. Faites revenir pendant 30 secondes à petit feu ; ajoutez les œufs et mélangez jusqu'à ce que ce soit cuit. Cette variante crémeuse peut être plus ou moins à votre goût. Les piments sont facultatifs.
◆ Avec le poisson fumé, mieux vaut des *huevos revueltos* bien crémeux. Ajoutez directement aux œufs des petits dés ou de fines lamelles de poisson ; il n'est pas nécessaire de poêler le poisson auparavant.
Avec du *machomo*, doublez largement la quantité de beurre. Mélangez *machomo* et œufs en même temps. La *machaca* a quasiment le même goût que le *machomo*, mais elle est préparée avec de la viande séchée, à la place du poisson.

MACHOMO

Cette recette est excellente aussi bien avec les œufs que pour farcir tacos ou burritos. C'est une préparation qui se conserve au réfrigérateur dans un sac en plastique pendant plusieurs jours.

◆

POUR 200–300 G

450 g de bœuf
2 gousses d'ail
6 grains de poivre
1 clou de girofle
1 feuille de laurier
2 petits oignons
1 cuil. à soupe de saindoux

◆ Découpez le bœuf en petits cubes d'environ 5 cm que vous disposerez dans une casserole avec juste suffisamment d'eau pour couvrir la viande. Ajoutez tous les autres ingrédients sauf l'un des oignons et le saindoux. Portez à ébullition puis laissez mijoter jusqu'à ce que la viande soit friable.
◆ Filtrez le bouillon ; réservez-le pour une autre recette après avoir ôté l'oignon, l'ail et les aromates.
◆ Découpez la viande aussi finement que possible. Hachez l'oignon. Dans un poêlon ou une poêle, chauffez le saindoux et faites revenir l'oignon jusqu'à ce qu'il soit doré. Ajoutez la viande et portez à feu vif sans cesser de mélanger. Le bœuf s'asséchera peu à peu. Quand il sera bien croustillant ou au moins bien sec, votre *machomo* est prêt. Cela prend environ 10 minutes.

À GAUCHE : *machomo*

CHILES RELLENOS

(Piments farcis)

La recette mexicaine des piments farcis ne ressemble pas du tout au plat espagnol qui porte le même nom. À la place de poivrons farcis au riz et à la viande, cuits au four, on cuisine des chilis anaheim ou poblanos avec une farce au fromage, badigeonnés d'œufs et frits. La préparation prend certes un peu de temps lorsqu'on utilise des chilis frais, mais si vous êtes gourmets, vous apprécierez.

◆

POUR 4 PERSONNES

12 chilis *anaheim* ou *poblano*
450 g de cheddar ou de *jack*
100 g de farine
6 œufs
Huile ou saindoux pour la friture

◆ Grillez et pelez les chilis en suivant les indications données pages 12 et 13. Fendez les piments sur un côté, ôtez les graines et les veines en faisant attention de ne pas abîmer la chair. Farcissez chaque chili de fromage finement découpé, puis roulez-le dans la farine.

◆ Séparez les jaunes et les blancs des œufs; battez les jaunes, puis battez les blancs jusqu'à ce qu'ils aient une consistance solide; mélangez les deux rapidement.

◆ Plongez les chilis dans la préparation d'œufs; dans une poêle, chauffez au moins 1 cm d'huile ou de saindoux et faites frire les piments.

◆ Maintenez-les au four avant de servir accompagnés de haricots frits ou de riz aromatisé à votre goût.

POIVRONS FARCIS

Cette version des chiles rellenos *à base de poivrons,
de riz et de viande est aussi très populaire.*

◆

POUR 4 PERSONNES

**3 tranches de bacon finement hachées
1 cuil. à soupe d'huile d'olive
1 petit oignon finement émincé
225 g de bœuf haché
450 g de riz à la mexicaine (déjà cuit)
4 gros poivrons verts**

◆ Faites revenir le bacon dans un petit peu d'huile et réservez ; dans
la graisse du bacon, faites frire l'oignon et le bœuf. Quand la viande
est cuite, ajoutez le riz et laissez mijoter.

◆ Ôtez la queue, les graines et les veines des poivrons, puis farcissez-
les généreusement du mélange de bœuf, de bacon et de riz. Mettez
dans un four chaud – 200 °C (th.5) – pendant 30 à 40 minutes.

PAGE DE GAUCHE : *chiles rellenos*
CI-DESSUS : poivrons farcis
CI-DESSOUS : *Oaxaca*

HORS-D'ŒUVRE À LA VIANDE

La quantité de viande utilisée dans la plupart des plats mexicains peut parfois surprendre. Voici deux recettes pour mettre en appétit.

◆

ALBONDIGUITAS

Ce sont des boulettes de viande que l'on prépare aussi pour la fameuse soupe albondigas (page 47). Frites, on peut les servir pour un repas léger ou comme plat principal. On les déguste également à la sauce tomate, en boleta (en sandwich) ou encore – et c'est délicieux! – avec des spaghettis.

◆

POUR 12 PERSONNES

450 g de bœuf haché
350 g de porc haché
120 g de riz cuit
1 petit oignon très finement émincé
2 gousses d'ail écrasées
2 œufs
Coriandre hachée (facultatif)
Sel et poivre
Saindoux ou huile pour la friture

◆ Mélangez bien l'ensemble des ingrédients; formez des boulettes d'environ 2 à 3 cm de diamètre. Les Mexicains ajoutent souvent un morceau d'œuf dur ou une moitié d'olive au milieu.

◆ Faites frire pendant plusieurs minutes. Il faut s'assurer que les boulettes soient bien cuites au centre. En hors-d'œuvre, servez avec des bâtonnets à cocktail ou cure-dents. En plat principal, préparez des *albondiguitas* à la sauce tomate (voir page 25) : vous pouvez d'abord frire les boulettes avant de les incorporer à la sauce, ou les faire pocher directement dans la sauce.

CARNITAS

Les carnitas ou « petites viandes », composent des repas légers très populaires au Mexique. Pour réussir cette recette, utilisez une grande poêle à fond épais ou mieux, une marmite en fonte. Et choisissez un bon morceau de porc moelleux...

◆

POUR 12 PERSONNES

1,5 kg de palette de porc désossée et sans peau
Environ 2 cuil. à café de sel

◆ Découpez la viande en petits morceaux d'environ 5 x 2 x 2 cm. Mettez le tout dans une marmite ou une poêle remplie d'eau : juste assez pour à peine recouvrir la viande. Portez à ébullition.

◆ Diminuez le feu, mais vérifiez que l'eau continue de frémir : ne couvrez pas. Après une demi-heure environ, l'eau s'est évaporée et votre viande est cuite. La chair doit rester ferme. Réduisez encore la feu et laissez la viande rendre sa graisse. Remuez fréquemment. Faites cuire pendant encore une bonne heure. Les *carnitas* sont prêtes lorsqu'elles sont bien dorées.

À GAUCHE : poteries et objets décoratifs
à Oaxaca
À DROITE : *albondiguitas*

À GAUCHE : *ensalada de col*
CI-DESSOUS : *pico de gallo*
PAGE DE DROITE : un papayer à
Yucatan

SALADES

◆◆◆◆◆◆◆◆◆◆◆◆◆◆◆◆◆◆◆◆◆◆

Certaines recettes mexicaines ne sont composées que de viande,
d'autres que de légumes. Quant aux salades, les Mexicains
les apprécient surtout en accompagnement d'un autre plat.
Mais si vous désirez préparer des salades mexicaines,
voici probablement les plus typiques.

ENSALADA DE COL

(Salade de chou)

POUR 4 PERSONNES

1/2 cœur de chou, découpé en lamelles
1 avocat (ou plus), détaillé en dés
1 tomate (ou plus) émincée
1 oignon rouge émincé
2 branches de céleri finement hachées
1 petit *jicama*, détaillé en dés ou en lamelles
1 petite poignée de raisins secs
1 petite poignée de noix ou d'amandes
1 carotte moyenne en fines lamelles
1 betterave cuite coupée en fines tranches
1 poignée de feuilles de coriandre hachées
100 g de fromage en petits dés

◆ Mélangez le chou avec tous les ingrédients. Préparez une vinaigrette à l'huile d'olive et avec du citron vert à la place du vinaigre (ou moitié vinaigre, moitié citron). Comptez deux doses d'huile d'olive pour une dose de jus de citron vert. Ajoutez un peu de moutarde pour obtenir une émulsion lorsque vous mélangerez.

PICO DE GALLO

Préparée comme sur la photo, avec ses ingrédients découpés en beaux morceaux, cette salade est délicieuse pour composer un repas léger ou accompagner un plat. Si vous émincez les ingrédients, vous obtenez une salsa. Pico de gallo signifie « bec de coq » : voici donc de quoi picorer !

◆

POUR 4–6 PERSONNES

1 *jicama* (moyen ou gros)
2 oranges (moyennes ou grosses)
Le jus d'un beau citron ou de 2 citrons verts
Sauce pimentée en bouteille

◆ Pelez et découpez le *jicama* en petits dés ou en lamelles. Pelez et découpez les oranges en tranches ou en cubes. Dans un saladier, mélangez avec le jus de citron. Parsemez de sauce pimentée pour relever d'avantage les arômes.
◆ On peut ajouter des cantaloups, des pommes et de la coriandre fraîchement hachée. On peut saler beaucoup ou encore utiliser des mandarines à la place des oranges. Libre à vous de confectionner la recette à votre goût puisque *no hay reglas fijas* !

ENSALADA DE NOPALITOS

Les nopalitos sont de jeunes pousses de cactus. Frais, ils ont un goût un peu âpre ; cuits, ils rappellent les haricots verts. D'ailleurs, si vous ne trouvez pas de nopalitos en conserve, vous pouvez les remplacer par des haricots verts.

◆

POUR 4–6 PERSONNES

450 g de *nopalitos* (2 petites boîtes, par exemple)
2 tomates moyennes, pelées,
épépinées et coupées finement
1/2 oignon émincé
Une bonne pincée d'origan
3 cuil. à soupe d'huile d'olive
2 cuil. à soupe de vinaigre de vin rouge
1/2 à 1 cuil. à soupe de coriandre hachée
Sel et poivre

◆ Mélangez tous les ingrédients dans un saladier. Servez la préparation sur un lit de feuilles de salade (romaine de préférence), garnie de miettes de fromage frais, d'un petit oignon et d'une tomate très finement émincés. Des lamelles de *jalapenos* en pickles, dont vous aurez ôté les graines, ajouteront une pointe de saveur. Nous vous conseillons les *jalapenos* à l'escabèche.

LÉGUMES

*Tout comme pour les salades, la cuisine mexicaine n'offre pas
de véritable plat de légumes typique. On les considère comme
un accompagnement servi avec une viande ou un poisson.
Mais il existe quand même quelques recettes de légumes
qui valent un détour gourmand !*

◆

COLACHE

*Ce mets typique est une sorte de fricassée ou de ratatouille avec
des légumes de saison. Certains sont cuits à l'eau bouillante
avant d'être frits, d'autres sont frits directement.
Ce colache (voir photo ci-dessous) comporte également
de petits morceaux de potiron.*

CI-DESSOUS : *colache*
À DROITE : une église à Tehnantepec

POUR 4-6 PERSONNES

450 g de courgettes
250 g de maïs *hominy* précuit en boîte
250 g de haricots verts précuits (ou en conserve)
250 ml d'huile d'olive ou de saindoux
1 petit oignon émincé
1 épi de maïs, découpé en morceaux
3 tomates fraîches, pelées
Sel

◆ Faites cuire les courgettes entières à l'eau bouillante en veillant à
ce qu'elles restent bien fermes. Découpez-les en rondelles. Égouttez le
maïs *hominy* et les haricots.

◆ Dans de l'huile ou du saindoux, faites fondre l'oignon à petit feu.
Ajoutez les autres ingrédients. Assaisonnez et laissez mijoter en
couvrant partiellement pendant 10 minutes ; remuez de temps en
temps. Si vous ajoutez du potiron, faites-le d'abord cuire à l'eau
bouillante et incorporez-le à la dernière minute..

LEGUMBRES ASADOS

(Légumes au barbecue)

Au lieu d'être bouillis, certains légumes sont cuits à sec
sur une plaque chaude, un gril ou un comal.
On prépare alors les délicieux ebollos (ou cebollitos)
asados et elote asado.
Les cebollitos sont des oignons de printemps,
ou de petits oignons blancs. Faites-les griller au barbecue

jusqu'à ce qu'ils prennent une belle couleur dorée :
ils deviennent alors étonnamment doux. Les elotes
sont des épis de maïs. Avant d'être grillés,
et pendant la grillade, on les plonge
dans une saumure (mettez 100 g de sel
dans un litre d'eau ou utilisez de l'eau de mer).
Trempez les épis deux ou trois fois pendant
les quelque 5 minutes de cuisson.
Retournez-les constamment
sur le gril.

LES SOUPES

*Les Mexicains distinguent deux types de soupes :
la soupe traditionnelle et les sopas secas, encore appelées pastas :
elles ont une consistance plus épaisse car on y incorpore
des féculents (riz, pâtes, tortillas) qui s'imprègnent du liquide.
À une comida, on sert d'abord la soupe, puis la pasta.*

•

CALDO TLALPENO

*Quelles que soient les variantes de cette recette, on y met toujours
du poulet et des avocats. La soupe est à base de bouillon de poulet
ou de légumes. On peut également y ajouter quelques chilis
et un peu d'ail.*

•

POUR 4 PERSONNES

**100 g (ou plus) de blanc de poulet
1 l de bouillon de poulet
1 ou 2 chilis rouges séchés (*arbol*, par exemple)
1 à 5 gousses d'ail
3 cuil. à soupe d'eau
Sel (environ 1 cuil. à café)
1 avocat
Quelques feuilles de coriandre pour la garniture**

◆ Portez le bouillon à ébullition ; faites-y cuire le poulet détaillé en petits dés ou en fines lamelles à petit feu pendant 5 minutes maximum. Si votre poulet est déjà cuit, laissez-le mijoter dans le bouillon quelques instants. Réservez au chaud.
◆ Ôtez les graines des chilis ; découpez les piments en petits morceaux et pilez-les avec l'ail et 3 cuillères à soupe d'eau. Versez le tout dans le bouillon que vous remettrez à mijoter quelques minutes. Assaisonnez.
◆ Pelez l'avocat et coupez-le en fines tranches : séparez-les soigneusement avant de les intégrer à la soupe, sinon elles se colleront l'une à l'autre. La soupe est prête quand les tranches d'avocat restent à la surface. Ciselez quelques feuilles de coriandre pour en parsemer la *caldo tlalpeno*.

SOPA DE AJO

(Soupe à l'ail)

*Comme l'ail est d'abord frit, puis bouilli dans la soupe,
son goût est bien moins fort que celui qu'on lui connaît
habituellement. Le résultat est fin et vraiment délicieux.*

•

POUR 4 PERSONNES

**10 gousses d'ail
1/2 cuil. à café de farine
2 cuil. à soupe de beurre
1 l de bouillon de poulet ou de bœuf
Sauce pimentée (Tabasco), sel et poivre
4 œufs
Croûtons ou toasts bien grillés (facultatif)
2 cuil. à soupe de fromage
émietté pour la garniture
1 cuil. à soupe de persil haché
pour la garniture**

◆ Découpez l'ail aussi finement que possible puis écrasez-le. Ajoutez la farine et faites frire à feu doux dans du beurre jusqu'à ce qu'il devienne translucide. À ce moment-là, ajoutez le bouillon, portez à ébullition et laissez mijoter pendant 15 minutes. Passez-le au tamis. Assaisonnez de sel, de poivre et de quelques gouttes de sauce pimentée.
◆ Portez de nouveau sur le feu. Quand la soupe commence à frémir, faites-y pocher les œufs. Lorsqu'ils sont fermes, la soupe est prête. Servez sur des croûtons ou des toasts ; garnissez de fromage émietté et de persil haché.

VARIANTES

➤ Faites chauffer quatre petits bols individuels dans un four réglé à environ 120 °C ; répartissez-y la soupe chaude et ajoutez seulement les jaunes d'œuf. Laissez ainsi quelques minutes, en couvrant, puis servez. Le jaune d'œuf sera encore liquide, mais c'est normal. Si vous le désirez, complétez alors avec des croûtons et la garniture.
➤ Vous pouvez aussi préparer des œufs sur le plat, à l'huile d'olive et les glisser dans la soupe, sur les croûtons.

À DROITE : *caldo tlalpeno*

CALDO DE ALBONDIGAS
••

(Soupe aux **albondigas***)*

*Traditionnellement, on met beaucoup de boulettes de viande dans
cette soupe. Mieux vaut donc prévoir la quantité nécessaire!*

◆

POUR 4 PERSONNES

Albondigas **(voir** ***Albondiguitas*** **page 39)**
2 l de bouillon de bœuf
1 petit oignon émincé
2 tomates finement coupées
1 pomme de terre moyenne, détaillée en petits dés
1 carotte moyenne, découpée en rondelles
1 courgette découpée en rondelles
Une bonne pincée d'origan
Sel et poivre

◆ Mélangez tous les ingrédients sauf les *albondigas*. Portez à
ébullition. À l'aide d'une cuillère, incorporez délicatement les
boulettes de viande une à une. Laissez mijoter pendant au moins
1 heure.

SOPA DE FIDEOS
••

(Soupe aux **vermicelles***)*

*Cette soupe peut aussi se préparer d'une façon qui vous rappellera
les spaghettis à la bolognaise. Il suffit de diminuer la quantité de
bouillon, d'augmenter celle des autres ingrédients et d'ajouter
de la viande hachée. Les deux versions sont tout autant typiques,
mais nous avons choisi de vous proposer la recette de la soupe.*

◆

POUR 6 PERSONNES

100 g de vermicelles coupés
1 cuil. à soupe de saindoux
1 ou 2 gousses d'ail hachées
1,5 l de bouillon de bœuf
1/2 oignon, finement émincé
1 boîte de tomates concassées, avec leur jus
1 cuil. à café d'origan sec
Sel et poivre

◆ Faites revenir les vermicelles dans le saindoux pendant environ
5 minutes, jusqu'à ce qu'ils soient dorés. Remuez constamment,
sinon la préparation risque de brûler. Réduisez le feu. Ajoutez l'ail et
faites-le revenir pendant 30 secondes à 1 minute pour l'adoucir.
Ajoutez les autres ingrédients et portez à ébullition. Laissez mijoter
pendant 1/2 heure, en remuant de temps en temps.

À GAUCHE : une femme à Inchitan
CI-DESSUS : *caldo de albondigas*

SOUPES « SÈCHES » (PASTAS)

Contrairement à ce que leur nom annonce, les sopas secas ne sont pas toutes sèches. Elles sont composées d'éléments secs comme du riz, des pâtes ou encore des tortillas rassises, qui absorbent le bouillon. La quantité de féculent est à doser à volonté pour préparer une soupe plus ou moins consistante et épaisse.

◆

POUR 4 PERSONNES

CHILAQUILES

(Soupe de tortillas)

1 ou 2 petites tomates
12 tortillas de maïs
Saindoux ou huile d'olive pour la friture
1 oignon moyen, finement émincé
2 gousses d'ail
1 l de bouillon de poulet
Sel et poivre

◆ Coupez les tomates en deux et faites-les griller dans une poêle à sec ou au gril.

◆ Les tortillas doivent être légèrement sèches ; n'hésitez pas à utiliser des tortillas rassises ! Découpez-les en lamelles d'environ 1,5 x 5 cm. Chauffez 10 cm d'huile dans une sauteuse et faites-les frire jusqu'à ce qu'elles soient croustillantes et dorées. Réservez.

◆ Ôtez presque toute l'huile ou le saindoux moins l'équivalent d'une cuillère à soupe et faites revenir l'oignon et l'ail jusqu'à ce qu'ils deviennent dorés. Passez-les au mixeur avec la tomate pour former une purée. Portez ce mélange dans la sauteuse, en ajoutant une cuillère à soupe de saindoux ou d'huile. Faites frire jusqu'à obtenir une consistance épaisse, en remuant constamment.

◆ Ajoutez le bouillon. Laissez mijoter pendant 1/2 heure. Assaisonnez. Servez sur les chips de tortillas dans des bols individuels.

VARIANTE

Ajoutez des restes de poulet ou de viande détaillés en petits dés et servez avec la garniture suivante :

Crème fraîche
Oignon cru haché
Œufs durs hachés
Quartiers de citron vert
Chilis *pasilla* séchés

➤ Pour préparer les chilis, ôtez graines et veines ; découpez-les en lamelles et faites-les frire dans l'huile pendant quelques secondes, jusqu'à ce qu'ils soient friables. Vous pouvez faire la même chose avec les tortillas.

SOPA DE ARROZ

(soupe au riz)

Cette recette est plus consistante que la chilaquiles. Vous obtiendrez peut-être une préparation trop épaisse la première fois ou trop liquide la seconde fois. À vous d'adapter le volume de bouillon ! Vous pouvez utiliser du bouillon de viande, de poulet ou de légumes. Triez le riz au préalable, mais ne le lavez pas, et si vous le lavez, laissez-le bien sécher dans un four réglé à la plus faible température, avant utilisation.

◆

POUR 4 PERSONNES

225 g de riz
2 cuil. à soupe d'huile d'olive ou d'huile d'arachide
1 petit oignon émincé
2 – 4 gousses d'ail, finement émincées ou écrasées
1 l de bouillon
Sel et poivre

◆ Faites frire le riz en remuant fréquemment pendant environ 10 mn, jusqu'à ce qu'il devienne blond. À mi-cuisson, ajoutez l'oignon et l'ail. Ajoutez le bouillon ; assaisonnez à votre goût. Laissez cuire à couvert à feu très doux pendant 1/2 heure. Une prochaine fois, n'hésitez pas à modifier la quantité de bouillon si votre préparation n'a pas eu la consistance désirée. Vous pouvez également remplacer un tiers du bouillon par du jus de tomate.

VARIANTES

➤ Pour une soupe plus riche, ajoutez à la mi-cuisson du riz plusieurs ingrédients en même temps que l'oignon. Ceci est une suggestion :

Champignons
Poulet ou viande cuits
Chilis *serrano* et *jalapeno*
Chorizo ou autre saucisse
Petits pois

➤ Vous pouvez également ajouter des fruits de mer – crevettes, quartiers de homard ou crabe – avec le bouillon. Ne faites pas frire ces ingrédients auparavant : ils deviendraient trop durs.

À GAUCHE : *chilaquiles*

BUDIN DE TORTILLAS

Cette recette est une variante plus consistante des chilaquiles
(page 49). On l'appelle également budin azteca.

◆

POUR 4 PERSONNES

3 gros chilis *poblano* ou *anaheim*
12 tortillas de maïs
Huile ou saindoux pour la friture
250 g de poulet, de viande ou de poisson cuit
175 g de fromage râpé (ou en fines lamelles) *jack* ou cheddar
300 ml de crème fraîche
450 ml de *mole verde* (voir page 25)
Sel et poivre
Oignon et radis finement émincés
pour la garniture

◆ Grillez, pelez, épépinez et ôtez les veines des chilis en suivant la
préparation des *chilis rellenos* (page 36). Découpez-les en lamelles.
◆ Faites frire les tortillas quelques secondes pour qu'elles soient
tendres. Divisez les chilis, le poulet, la viande ou le poisson en trois
portions; divisez le fromage, la crème et la *mole verde* en quatre
portions.
◆ Disposez trois tortillas l'une sur l'autre dans un grand plat carré
allant au four. Ajoutez viande, poulet ou poisson, chilis, fromage,
crème et *mole verde*. Puis mettez par-dessus trois autres tortillas et le
même mélange; répétez l'opération encore une fois. La dernière
tortilla doit seulement être garnie de fromage, de crème et de *mole
verde* : la viande ou les chilis sécheraient trop vite.
◆ Faites cuire au four, à 175 °C pendant environ 30 minutes.
Garnissez d'oignon et de radis avant de servir.

MACARONIS AU JAMBON

Cette recette populaire de « pasta » est très nourrissante.

◆

POUR 4 PERSONNES

450 g de macaronis
125 g de petits pois déjà cuits
125 ml de crème fraîche(mexicaine si possible)
125 g de jambon cuit, détaillé en cubes
2 bonnes cuil. à soupe de coriandre fraîche et hachée
Sel et poivre
Tomates pour la garniture (facultatif)

◆ Plongez les macaronis dans de l'eau bouillante et laissez-les cuire.
Égouttez-les soigneusement puis laissez-les refroidir (ou servez
chaud). Ajoutez tous les autres ingrédients et mélangez bien. Si vous
le désirez, garnissez de tomates découpées en tranches.

À GAUCHE : macaronis au jambon
À DROITE : préparation d'un repas
à Ameyatapec (Guerrero)

POISSONS

◆◆◆◆◆◆◆◆◆◆◆◆◆◆◆◆◆◆◆◆◆◆

Les côtes mexicaines regorgent de poissons extraordinaires que l'on prépare très simplement : souvent en grillades au feu de bois, tout doucement, si bien que les poissons sont à demi fumés lorsqu'ils sont cuits ; grillés ou frits quand il s'agit de filets de plus gros poissons ; on les sert alors avec différentes sauces savoureuses. Les recettes suivantes font partie des plus originales.

◆

CEVICHE

◆◆◆◆◆◆◆◆◆◆◆◆◆◆◆◆◆◆◆◆◆◆

Le ceviche ou seviche est un poisson mariné dans du jus de citron vert. On le fait mariner entre 1/2 heure et 8 heures : les avis divergent ! On peut aussi ajouter de l'huile d'olive et des poivrons. L'origan donne un arôme délicieux. De même, les chilis serrano, que certains laissent de côté néanmoins. Les Mexicains appellent les citrons verts « limones » : à défaut, utilisez du jus de citron classique, mais ce sera moins parfumé. L'un des poissons les plus traditionnels pour ce plat est le maquereau, mais d'autres poissons gras sont tout autant appréciés. Avec le maquereau, qui est difficile à préparer, le ceviche a une consistance peu esthétique. N'hésitez donc pas à préparer des filets du poisson de votre choix : thon, sole, lieu, bar, daurade. L'essentiel est qu'ils soient très frais.

◆

POUR 6 PERSONNES

1 kg de poisson très frais
2 gros oignons
3 tomates moyennes et bien mûres
5 citron verts
5 chilis *serrano*
Coriandre
Sel et poivre

◆ Découpez le poisson en morceaux d'environ 10 à 15 mm. Émincez les oignons. Coupez très finement tomates, chilis et coriandre. Pressez les citrons. Mélangez l'ensemble, assaisonnez et laissez au moins 1/2 heure à température ambiante, en remuant fréquemment pour que le poisson soit imprégné de jus de citron. Gardez au réfrigérateur : on sert ce plat bien froid – après avoir ôté l'excédent de jus de citron – sur des tortillas ou *tostadas* (page 36) ou en *tacos*, garni de salade. La préparation se conserve une douzaine d'heures, mais guère plus d'une journée.

POLPOS BORRACHOS

◆◆◆◆◆◆◆◆◆◆◆◆◆◆◆◆◆◆◆◆◆◆

(Calmars au vin et au cognac)

Littéralement, cette recette signifie « calmars ivres ». On cuit l'enveloppe extérieure des calmars, que vous pouvez aussi acheter déjà tout préparés. Mais réaliser soi-même cette recette est moins difficile et désagréable qu'on ne l'imagine : salez-vous les mains pour avoir une meilleure prise, tenez les tentacules d'une main et le corps de l'autre et tirez d'un coup sec. Tentacules et intérieur se détacheront tout seuls. Clin d'œil : si vous avez un chat, offrez-lui les tentacules.

◆

POUR 6 PERSONNES

1 kg de calmars
150 ml de cognac
1,5 l de sauce à la tomate (page 25)
300 ml de vin rouge (vin de Californie)
Sel et poivre
Olives et câpres pour la garniture

◆ Nettoyez les calmars avec beaucoup de sel. Aplatissez-les bien, par exemple avec un rouleau à pâtisserie ou un vieux presse-purée en bois. Laissez mariner au moins 1 heure dans le cognac.

◆ Dans une grande cocotte, couvrez les calmars d'eau, portez à ébullition, puis faites mijoter jusqu'à ce qu'ils soient tendres. Égouttez et réservez le bouillon. Découpez les calmars en petits morceaux.

◆ Dans la même cocotte, mélangez bouillon, sauce tomate et vin. Assaisonnez. Versez-y les calmars et laissez cuire à feu doux pendant encore 1/2 heure. Servez avec du riz blanc, garni d'olives et de câpres et avec le même vin rouge que celui employé pour la sauce.

À GAUCHE : préparation du poisson à Inchitan

CALDO DE PESCADO

(Ragoût de poisson)

La version la moins chère et la plus délicieuse pour les connaisseurs est composée de têtes de poisson. Mais pour les gourmets plus délicats, de beaux filets de poisson sont tout aussi succulents.

◆

POUR 4 PERSONNES

**1 petit oignon finement haché
1 cuil. à soupe d'huile d'olive
2 tomates moyennes
900 g de poisson blanc découpé en petites bouchées
3 gousses d'ail hachées
2 feuilles de laurier
1 cuil. à café d'origan séché
Le jus de 2 citrons ou de 2 limes
1 l d'eau
Sel et poivre**

◆ Chauffez l'huile dans une poêle et faites revenir l'oignon à petit feu jusqu'à ce qu'il fonde. Ajoutez les tomates et laissez cuire encore 1 ou 2 minutes. Incorporez les autres ingrédients, puis portez à ébullition. Réduisez le feu et laissez mijoter environ 1 heure.

PESCADO EN ESCABECHE

L'escabèche est essentiellement une sauce à base de vinaigre utilisée comme marinade pour viandes cuites, poissons ou poulet. On la sert également en condiment. À l'origine, cette préparation était sans doute un moyen de conserver le poisson : le pescado in escabeche se garde plusieurs jours.

◆

POUR 6 PERSONNES

**6 beaux filets de poisson à chair ferme
(sole, bar, daurade), frais ou congelés
Huile d'olive pour la friture
Sauce escabèche (page 27)**

◆ Gardez vos poissons à température ambiante quelques instants avant de préparer cette recette. Si vous utilisez des poissons congelés, veillez à ce qu'ils soient bien dégelés et pas trop froids.
Faites frire les filets dans un peu d'huile jusqu'à ce qu'ils soient bien cuits : 3 ou 4 minutes de chaque côté. Puis, dans un saladier en verre, laissez mariner en remuant de temps en temps, au moins une nuit et au maximum 3 jours..

CI-DESSUS : poisson à l'escabèche
À DROITE : scène d'église à Yucatan

HUACHINANGO YUCATECO

(Poisson à la Yucatan)

Cette recette peut être réalisée avec de la sole, du bar, du pagre ou de la daurade rose.

♦

POUR 4 PERSONNES

2 petits poivrons, un rouge et un vert
1 oignon moyen émincé
60 g de beurre
2 cuil. à soupe de coriandre fraîche émiettée
1 cuil. à café de graines de cumin
1/2 cuil. à café de zeste d'orange râpé
125 ml de jus d'orange fraîchement pressé
1 belle daurade rose nettoyée et écaillée
6 à 8 olives noires en lamelles
Sel et poivre
1 gros avocat ou 2 plus petits pour la garniture

♦ Ôtez les graines et les veines des poivrons que vous découperez finement. Émincez l'oignon, détaillez l'ail en petits dés. Chauffez 2 cuillères à soupe de beurre dans une poêle et faites frire les ingrédients. Ajoutez la coriandre, le cumin et le zeste d'orange ; assaisonnez à votre goût. Laissez mijoter pendant environ 2 minutes.
♦ Chauffez le reste du beurre dans un poêlon et versez-y le poisson et la sauce. Ajoutez les olives. Faites cuire pendant environ 30 minutes, en arrosant de sauce de temps à autre. Servez chaud, garni de fines tranches d'avocats.

POISSON EN PAPILLOTE

Pour cette recette, vous pouvez utiliser n'importe quel poisson blanc à chair plutôt ferme et pas trop gros.

POUR 4 PERSONNES

1 kg de filets de poisson
125 g de crevettes cuites
125 g de chair de crabe cuite
4 feuilles de papier sulfurisé
ou papier d'aluminium beurré
2 cuil. à café de beurre
2 cuil. à café de farine
110 ml de bouillon de poulet
Sel et poivre

♦ Formez quatre portions avec les filets de poisson, les crevettes et la viande de crabe que vous répartirez sur les feuilles de papier sulfurisé.
♦ Confectionnez un roux : faites fondre le beurre en versant la farine, sans cesser de remuer. Puis ajoutez doucement le bouillon, en remuant toujours, afin d'obtenir une sauce onctueuse. Versez cette préparation sur les quatre portions. Refermez bien les feuilles de papier sulfurisé et placez les papillotes dans un four réglé à 160 °C pendant 35 à 40 minutes. Servez chaud.

À GAUCHE : carnaval à Guadalupe
À DROITE : *huachinango yucateco*

VIANDES ET VOLAILLES

Viandes et volailles mexicaines sont souvent excellentes, mais moins tendres que celles que l'on peut acheter en Amérique du Nord ou dans le nord de l'Europe. De là des cuissons très longues qui attendrissent la chair et développent les saveurs.
Le bœuf et le porc sont largement consommés ; le poulet est très apprécié et, dans certaines régions, l'agneau et le chevreau sont également cuisinés. L'armadillo et l'iguane restent des spécialités très mexicaines. En ragoûts ou au mole, les viandes sont souvent combinées.

◆

CARNE ASADA

En Espagne, asada signifie « rôti ». Au Mexique, c'est en général une marinade à base d'agrumes dans laquelle baigne une viande rouge. Si vous choisissez une viande de qualité, vous obtiendrez un plat très tendre, mais nul besoin d'utiliser des tranches de filet pour cette recette. Des bières brunes et fortes en goût, comme la Modelo Negra ou la Guinness accompagnent idéalement ce plat que l'on peut servir avec un riz à la Mexicaine, des haricots frits et une salade.

◆

POUR 4 PERSONNES

1 oignon, petit ou moyen
1 gros citron vert
1 petite orange
75 ml de bière
225 ml de sauce de soja
1 kg de steak
1 petite botte d'oignons de printemps
Sel et poivre

◆ Pressez le citron et l'orange ; mélangez avec la bière et la sauce de soja. Ajoutez l'oignon découpé en rondelles. Faites mariner la viande pendant au moins 1 heure, en la remuant fréquemment pour qu'elle soit bien imprégnée. Cuisez à la broche ou au barbecue. Faites griller des oignons pour compléter la garniture.

BISTECK RANCHERO

Cette recette est la préparation traditionnelle de steaks (plutôt durs !) pour la merienda, ou second petit déjeuner. Comme d'habitude, on mange une viande très cuite : d'abord frite, puis cuisinée à l'étuvée. Évitez donc les viandes trop épaisses !

◆

POUR 2 PERSONNES

350 g de steak en fines tranches
2 cuil. à soupe d'huile d'olive
1/2 oignon en lamelles épaisses
1 belle tomate
1 chili vert *California*, découpé en rondelles
2 chilis *serrano* finement émincés
2 cuil. à soupe de bouillon de poulet
Sel et poivre

◆ Chauffez l'huile dans une poêle et faites revenir la viande assaisonnée de sel et de poivre. Quand elle est presque cuite, ajoutez les autres ingrédients en les mélangeant pour recouvrir la viande. Couvrez et laissez bien cuire.
◆ Servez avec des haricots frits.

À GAUCHE : *bisteck ranchero*
À DROITE : *carne asada*

CARNE MOLIDA CRUDA

Cette recette, littéralement « viande hachée crue », est la version mexicaine du steak tartare. Le jus de citron vert rend la viande bien tendre mais lui donne une saveur plutôt forte.

◆

POUR 4 PERSONNES

2 chilis *jalapeno* finement hachés
1/2 petit oignon
450 g de steak dans le filet
(ou autre morceau maigre de choix)
2 ou 3 citrons verts ; sel et poivre

◆ Émincez très finement les chilis et l'oignon. Découpez la viande en dés ; ôtez les parties grasses et passez-la au mixeur, sans trop la hacher toutefois. Pressez les citrons. Dans un grand saladier, mélangez viande et ingrédients, puis assaisonnez : utilisez de préférence du poivre fraîchement moulu et pas trop de sel. La viande crue est déjà assez salée.

◆ Laissez la préparation mariner assez longtemps au réfrigérateur, pour que les arômes des citrons imprègnent bien la viande. Au bout d'1 heure environ, le parfum du citron couvre le goût de la viande crue. On peut servir immédiatement pour les connaisseurs ou garder 1 heure au frais.

ESTOFADO DE LENGUA

(Langue de bœuf à l'étuvée)

Voilà une autre recette réservée aux amateurs.
Si vous aimez ce genre de plat, attendez-vous
à une délicieuse surprise !

◆

POUR 8–10 PERSONNES

1 belle langue de bœuf bien
fraîche d'environ 2 à 2,5 kg
1 petit oignon pelé
5 gousses d'ail
8 grains de poivre noir
1 ou 2 cuil. à soupe de sel

◆ Faites préparer la langue de bœuf par votre boucher. Mettez-la entière dans une grande cocotte en la recouvrant d'eau, ajoutez les ingrédients et portez à ébullition. Faites mijoter pendant 2 à 3 heures, jusqu'à ce que la viande soit tendre. Laissez refroidir ; dès que vous le pouvez, enlevez la langue de bœuf du bouillon et ôtez la peau rugueuse avant de la remettre dans le court-bouillon. Pendant ce temps, préparez la sauce.

CI-DESSUS : *carne molida cruda*
À DROITE : l'église de San Juan Chamula à Chiapas

LA SAUCE

1 petite tortilla
2 chilis *anchos*
2 cuil. à soupe de saindoux
60 g d'amandes non épluchées
1 kg de tomates fraîches finement hachées
2 cuil. à soupe de graines de sésame
2 cm de cannelle en bâton
Thym, marjolaine et origan : 1 bonne pincée de chaque
Olives vertes pour la garniture
***Jalapenos* à l'escabèche en condiment**

◆ Laissez sécher la tortilla un moment (ou utilisez une tortilla rassise !)

◆ Ôtez graines et veines des chilis ; chauffez le saindoux dans une poêle et faites revenir les piments à feu doux. Égouttez-les puis passez-les au mixeur. Dans la même graisse de cuisson, faites frire les amandes jusqu'à ce qu'elles soient bien dorées ; réservez et faites frire la tortilla pour qu'elle devienne croustillante ; réservez. Enfin, faites revenir les tomates à feu vif, pendant environ 10 minutes, en les remuant constamment. Écrasez grossièrement les amandes et la tortilla avant de les passer au mixeur, puis ajoutez les tomates.

◆ Dans une poêle à sec ou sur le gril, faites griller les graines de sésame jusqu'à ce qu'elles soient dorées. Secouez-les bien pour qu'elles n'éclatent pas. Puis concassez-les dans un mortier de cuisine ou un moulin à épices (ou un moulin à café, que vous nettoierez soigneusement ensuite). L'arôme sera encore plus délicieux. Passez-les au mixeur, avec la cannelle et les herbes, pour obtenir une sauce onctueuse.

◆ Chauffez du saindoux dans la poêle et faites-y revenir cette sauce pendant quelques minutes ; réduisez le feu, en remuant fréquemment pendant environ 10 minutes, jusqu'à ce que la préparation recouvre la spatule en bois. Si la sauce est trop épaisse, ajoutez un peu de court-bouillon.

◆ Découpez la langue de bœuf en fines tranches que vous disposerez sur un plat. Nappez avec une partie de la sauce, l'autre étant présentée dans une saucière à part. Garnissez d'olives vertes, puis servez accompagné de riz blanc. En condiment, proposez des *jalapenos* en escabèche.

CARNE CON CHILE COLORADO

Voici une recette qui vous changera des versions « Tex-Mex » habituelles. Ce n'est pas un simple mélange de bœuf haché, de haricots et de sauce tomate. On cuisine de beaux morceaux de viande dans une sauce riche et veloutée qui, certes, est un peu difficile à préparer, mais quel délice ! Le carne con chili colorado se prépare avec du bœuf ou du porc.

◆

POUR 4 PERSONNES

**8 chilis séchés de taille moyenne,
type California ou New Mexico
1/2 cuil. à café de cumin
3 gousses d'ail pelées
1 petit oignon émincé
1 cuil. à café d'origan séché
700 g de viande maigre et désossée
Huile ou saindoux pour la friture
450 ml d'eau ou de bouillon
Sel**

◆ Préparez les chilis séchés en suivant les indications pages 12 et 13. Pendant qu'ils trempent, pilez les graines de cumin dans un mortier ou un moulin à épices.

◆ Égouttez les chilis mais gardez une tasse du liquide de trempage. Ajoutez l'ail, l'oignon, l'origan et le cumin. Passez au mixeur avec le liquide de trempage pour former une purée. Vous devez obtenir une sauce onctueuse, que vous tamiserez ensuite dans une fine passoire métallique : c'est la phase la plus longue de la recette, nécessaire toutefois pour le velouté final.

◆ Découpez la viande en cubes d'environ 2,5 cm. Chauffez un peu de saindoux ou d'huile dans un poêlon et faites frire la viande pendant environ 10 minutes sans cesser de remuer, jusqu'à ce qu'elle soit bien dorée.

◆ Ajoutez la sauce tamisée ; poursuivez la cuisson, en remuant fréquemment, pendant 5 minutes maximum. La sauce prendra une couleur plus brune et une consistance plus épaisse. Ajoutez de l'eau ou du bouillon ; portez à ébullition, puis laissez mijoter à petit feu pendant au moins 1 heure, en remuant de temps en temps. Si la sauce devient trop épaisse, versez un peu plus d'eau ou de bouillon. Le plat est prêt quand la viande est extrêmement tendre.

TEX-MEX CHILI CON CARNE

Bien que ce ne soit pas un plat traditionnellement mexicain, c'est une très bonne recette, qui, de surcroît, ne coûte pas cher. Le Tex-Mex chili con carne est facile à préparer et est très apprécié pour des repas de fête ! Dosez l'ail et l'assaisonnement de chilis à votre goût : avec une cuillère à soupe de pasilla, votre chili con carne sera doux. Si vous le préférez plus fort, ajoutez jusqu'à 1/2 cuillère à café de chilis séchés et broyés à la quantité déjà indiquée.

◆

POUR 4–6 PERSONNES

**2 oignons moyens, hachés
2 – 6 gousses d'ail écrasées
4 cuil. à soupe d'huile d'olive ou de saindoux
750 g de bœuf haché
1 bonne cuil. à soupe de chilis en poudre
1 boîte de tomates en conserve
1 cuil. à soupe de graines de cumin
1 feuille de laurier
250 ml de bouillon de bœuf
3 cuil. à soupe de purée de tomates
1 boîte de haricots rouges
Sel**

◆ Dans une grande poêle, chauffez l'huile ou le saindoux et faites revenir les oignons et l'ail jusqu'à ce qu'ils soient fondus. Ajoutez le bœuf et faites revenir pendant 5 à 10 minutes pour que la viande devienne bien dorée et friable. Ajoutez la poudre de chili et laissez frire encore environ 20 secondes, jusqu'à ce que le chili soit parfaitement mélangé au bœuf. Ajoutez les tomates sans les avoir égouttées et tous les ingrédients sauf les haricots. Portez à ébullition, puis laissez mijoter à couvert pendant 1 heure au moins. Environ 15 minutes avant de servir, versez les haricots, mélangez et faites mijoter encore quelques minutes.

◆ Servez avec du riz blanc ou une bonne baguette. Pour un repas véritablement texan, accompagnez généreusement de bière !

À GAUCHE : *carne con chile colorado*
À DROITE : scène de rue à Tepoztlan

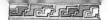

ROPA VIEJA

(Ragoût de bœuf émincé)

*Le nom de cette recette est peu alléchant puisqu'il signifie littérale-
ment « vieux vêtements ». Mais la ropa vieja est en réalité un
succulent ragoût riche en bœuf. Le nom de ce plat est certainement
un clin d'œil à la manière de préparer la viande : elle est cuite
jusqu'à se déchiqueter en lamelles.*

◆

POUR 4–6 PERSONNES

**1 kg de bœuf dans le paleron, coupé en cubes
1 bel oignon émincé
2 gousses d'ail finement hachées
2 cuil. à soupe de vinaigre
450 ml d'eau ou de bouillon
500 g de tomates fraîches ou 1 boîte de tomates en conserve
2 poivrons, un rouge et un vert
2 pommes de terre bouillies
2 cuil. à soupe d'huile d'olive.**

◆ Portez la viande à ébullition dans une cocotte avec tous les
ingrédients sauf les tomates et les poivrons. Dans un autre récipient,
faites bouillir les pommes de terre.

◆ Laissez mijoter la viande à couvert, à très petit feu, pendant 2 à
3 heures, en ajoutant les tomates à mi-cuisson : elles doivent cuire en
même temps que la viande, au moins 45 minutes. Quand la viande
est très tendre, sortez-la du court-bouillon à l'aide d'une fourchette,
détachez-en des lamelles sur un plat, puis reversez le tout dans le
bouillon.

◆ Pendant ce temps, épépinez et ôtez les veines des poivrons.
Découpez les pommes de terre en rondelles. Dans un poêlon ou une
grande poêle, chauffez l'huile et faites frire ces ingrédients jusqu'à ce
que les poivrons soient tendres. Ajoutez-les à la viande. Laissez
mijoter à feu très doux jusqu'à ce que presque tout le liquide se soit
évaporé.

◆ Servez avec du riz blanc, des tortillas ou des pommes de terre à
l'eau.

BIRRIA

*Suivant les traditions, les Mexicains préparaient un agneau entier,
ou un chevreau, assaisonné de sauce adobo et qui, protégé par des
feuilles d'agaves, cuisait pendant plusieurs heures dans une fosse à
barbecue, ce qui empêchait la viande de se dessécher. La viande
était à la fois cuite à la vapeur, fumée et extrêmement tendre. Les
tacos de birria sont très populaires au Mexique : on en vend souvent dans des échoppes, sur les bords des routes.*

◆

BIRRIA TRADITIONNEL

POUR 4–8 PERSONNES

**Environ 3 kg de viande
(choisissez des morceaux bon marché
d'agneau ou de porc, éventuellement
mélangés à du poulet)
Sauce *adobo* (voir page 26)
1 kg de tomates
Sel et poivre
Origan et oignon haché
pour la garniture**

◆ Découpez grossièrement la viande ; entaillez-la profondément ;
roulez les morceaux dans du sel, puis badigeonnez-les généreusement de sauce *adobo*. Laissez mariner entre 16 et 18 heures.

◆ Dans un autocuiseur, versez environ 5 cm d'eau, placez le panier
de cuisson et disposez-y la viande. Fermez hermétiquement le
couvercle et faites cuire.

◆ Quand la viande est cuite, égouttez le jus de cuisson que vous
réserverez ; laissez-le refroidir, puis dégraissez-le. Si nécessaire,
ajoutez un peu d'eau pour obtenir l'équivalent de deux bols de
bouillon, soit environ 450 ml.

◆ Coupez les tomates en deux et faites-les griller à sec dans une
poêle (ou au gril). Puis passez-les au mixeur pour préparer une sauce
veloutée. Ajoutez-la au bouillon et portez à ébullition dans une casserole.

◆ Présentez la viande dans des bols individuels, avec environ 110 ml
de sauce dans chaque bol et des tortillas chaudes. Parsemez d'oignon
haché et d'origan.

CI-CONTRE : Ropa Vieja

RAGOÛT BIRRIA

Cette recette se rapproche davantage du ragoût que du birria traditionnel, mais elle est également très bonne.

POUR 4–8 PERSONNES

4 chilis *ancho*
3 kg environ de viande (comme pour la recette précédente)
5 à 10 gousses d'ail
7 clous de girofle
1 bâton de cannelle
1 cuil. à soupe d'origan séché
2 boîtes de tomates en conserve avec leur jus
110 ml de vinaigre de vin
Sel et poivre
1 bouteille de bière
1 bel oignon rouge pour la garniture

◆ Préparez les chilis en suivant les indications données pages 12 et 13. Découpez la viande en petites portions.
◆ Passez au mixeur les chilis (après les avoir fait tremper et égoutter), l'ail, les clous de girofle, la cannelle, l'origan, les tomates, le vinaigre et l'assaisonnement, en plusieurs fois si nécessaire. Quand vous obtenez une sauce onctueuse, ajoutez la bière et mixez de nouveau.
◆ Mettez la viande et la sauce dans une cocotte, couvrez et laissez mijoter pendant au moins 3 heures, jusqu'à ce que la viande soit bien tendre.
◆ Servez avec l'oignon émincé et des tortillas chaudes.

CARNE DE RES CON NOPALITOS

Les nopalitos sont de jeunes pousses de cactus fraîches, débarrassées de leurs épines évidemment ! Pour cette recette, vous pouvez utiliser des nopalitos en bouteille ou en conserve, que vous trouverez dans la plupart des épiceries mexicaines.

◆

POUR 4–6 PERSONNES

1,3 kg de bœuf coupé en morceaux d'environ 5 x 2 cm
4 cuil. à soupe d'huile d'olive ou de saindoux
1 bel oignon finement haché
2 à 4 gousses d'ail finement hachées
1 boîte ou 1 bouteille de *nopalitos*
1,3 kg de *tomatillos* (en conserve)
6 chilis *serrano* frais ou 6 en conserve,
finement hachés
1 cuil. à soupe de purée de tomates
225 ml de bouillon de bœuf
1 poignée de coriandre fraîche hachée
Sel et poivre

◆ Chauffez l'huile ou le saindoux dans une sauteuse et faites revenir le bœuf : quelques morceaux les uns après les autres, jusqu'à ce qu'ils soient bien dorés. Ensuite, disposez-les dans une cocotte. Dans la même graisse de cuisson, faite blondir l'oignon et l'ail et ajoutez-les à la viande.
◆ Égouttez les *nopalitos* et rincez-les soigneusement. Ajoutez-les à la préparation de viande, oignons et ail, avec le bouillon et les autres ingrédients (n'égouttez pas les *tomatillos*). Portez à ébullition, puis laissez mijoter à petit feu pendant 2 à 3 heures, jusqu'à ce que la viande soit très tendre.

CARNE DE RES CON TOMATILLOS

Malgré son nom presque similaire, ce plat a un goût étonnamment différent de la recette précédente.

◆

POUR 6 PERSONNES

1 belle tranche de bœuf d'environ 1 kg
2 cuil. à soupe de saindoux ou d'huile d'olive
1 oignon émincé
2 gousses d'ail finement coupées
300 à 400 g de chorizo
2 (ou plus) chilis *serrano* frais, coupés en lamelles
1 poignée de coriandre fraîche hachée
1,3 kg de *tomatillos* (en conserve)
12 pommes de terre nouvelles
Sel et poivre

◆ Chauffez l'huile ou le saindoux dans un poêlon et faites brunir la viande des deux côtés. Disposez-la dans une grande cocotte.
◆ Dans la même graisse de cuisson, faites fondre oignon et ail. Ajoutez le chorizo pelé et détaillé en petits dés ; continuez à faire frire jusqu'à ce que la saucisse ait bien dégraissé. Égouttez l'excédent de gras ; versez le mélange oignon, ail et chorizo sur la viande et ajoutez tous les ingrédients sauf les pommes de terre. Laissez mijoter au moins 2 heures. La viande doit être bien tendre.
◆ Pendant ce temps, faites bouillir les pommes de terre ; ajoutez-les dans la cocotte quand la viande est prête. Faites cuire encore quelques minutes.

À DROITE : *carne de res con nopalitos*
À GAUCHE : vente de vaisselle et de plats à Chicapa (Guerrero)

PICADILLO

❖❖❖❖❖❖❖❖❖❖❖❖❖❖❖❖❖❖❖❖

*Le picadillo peut être préparé avec du bœuf haché ou finement
coupé en en lamelles d'environ 1 x 5 cm. Traditionnellement,
la préparation comporte aussi des morceaux de chayote, une sorte
de courge à chair ferme parfois appelée le « légume poire ».
À défaut de chayote, utilisez une belle pomme ferme,
mais sa saveur ne sera pas la même.*

❖

POUR 4–6 PERSONNES
PLAT PRINCIPAL

1 kg de bœuf maigre
4 cuil. à soupe d'huile d'olive ou de saindoux
1 oignon moyen
2 à 4 gousses d'ail
1 chayote, pelée et épépinée
1 belle pomme de terre, pelée et découpée en dés
2 grosses tomates découpées en morceaux
2 carottes, pelées et coupées en rondelles
1 courgette coupée en rondelles

30 g de raisin sec
3 (ou plus) chilis *jalapeno* en lamelles
10 olives au piment coupées en deux
Cannelle et clous de girofle : 1 bonne pincée de chaque
200 g de petits pois
Sel et poivre
60 g d'amandes effilées pour la garniture

◆ Découpez le bœuf en lamelles, comme indiqué ci-dessus ou en
petits dés. Chauffez l'huile ou le saindoux dans un poêlon et faites
brunir la viande. Ajoutez l'oignon et l'ail. Quand ils sont dorés,
ajoutez tous les autres ingrédients sauf les amandes et les petits pois.
Portez à ébullition, puis laissez mijoter pendant 20 à 30 minutes.
◆ 5 minutes avant de servir, ajoutez les petits pois et mélangez.
Chauffez un peu d'huile d'olive dans une petite poêle et faites revenir
les amandes, en remuant constamment. Quand elles sont dorées,
versez-les sur le *picadillo*.

PICADILLO DE LA COSTA

Pour découvrir une variante régionale du picadillo,
essayez cette préparation typique de la côte mexicaine.

◆

POUR 4–6 PERSONNES

450 g de porc haché
450 g de veau haché
2 cuil. à soupe d'huile d'olive
2 oignons finement hachés
2 gousses d'ail détaillées en petits dés
2 belles tomates, pelés, épépinées et finement coupées
2 – 4 chilis *serrano* frais
3 belles tranches d'ananas frais
3 bananes plantains (ou 3 bananes
ordinaires pas encore mûres)
3 poires ou pommes, pelées et évidées
Cannelle et clous de girofle : une bonne pincée de chaque

Sel et poivre
60 g d'amandes effilées pour la garniture

◆ Chauffez l'huile dans un poêlon et faites brunir la viande ; ôtez l'excédent de gras. Ajoutez les oignons et l'ail, puis faites cuire jusqu'à ce qu'il soit dorés. Ajoutez les tomates et les chilis ; laissez mijoter pendant 1/4 d'heure. Assaisonnez.

◆ Épluchez l'ananas et découpez-le en morceaux. Découpez les bananes en tranches épaisses d'environ 1,5 cm. Coupez les poires ou pommes en morceaux. Ajoutez fruits et épices au *picadillo*. Faites cuire encore 15 minutes environ, mais pas trop longtemps : les fruits se désintégreraient.

◆ Préparez les amandes comme pour la recette précédente et garnissez-en le *picadillo*.

À GAUCHE : *picadillo*
CI-DESSOUS : une femme à Inchitan

POZOLE

(Porc et maïs hominy)

Le pozole est un plat que mangeaient traditionnellement les paysans, à base de côtes de porc cuites à l'eau bouillante avec de l'ail, puis mijotées avec du maïs hominy et des chilis. Encore plus traditionnellement, on cuisine une demi-tête de porc : chaque convive a droit à une bouchée d'oreille et l'œil est offert à un hôte de marque. Évidemment, si vous ne vous sentez pas du tout en harmonie avec ces traditions, préparez cette recette avec des côtes de porc ; vous pouvez aussi en remplacer une partie par des morceaux plus maigres que vous détaillerez en petits dés. Et pour concocter un pozole plus luxueux, ajoutez aussi du poulet !

◆

POUR 4 PERSONNES

1 kg de côtes de porc
1 petite pointe d'ail
1 oignon moyen (facultatif)
2,330 kg de maïs *hominy* (en conserve)
1 chili *ancho* rouge séché
Sel
Garniture : oignons, laitue, chou ; radis,
tostadas et tranches de citron vert

◆ Dans une grande casserole d'eau bouillante, faites cuire les côtes de porc et l'ail jusqu'à ce que la chair soit tendre (l'eau doit juste recouvrir la viande) ; ajoutez un oignon si vous le désirez. Disposez le maïs et le chili émietté dans un saladier. Quand la viande est cuite, versez-la avec son jus de cuisson dans la préparation de maïs et chili ; remettez le tout dans la casserole et faite cuire pendant plus d'une heure.

◆ Servez accompagné d'oignons finement émincés, de laitue ou de chou ciselés, de radis, de *tostadas* et de rondelles de citron vert.

MOLE DE OLLA

C'est un ragoût à base de chilis et de plusieurs viandes. La recette suivante est plus spécifiquement un mole de olla estila atlixco (à la mode d'Atlixco), avec deux sortes de saucisses : le chorizo, épicé et la longanzina qui est plus douce. Bien sûr, vous pouvez varier les proportions à votre goût.

◆

POUR 6 PERSONNES

6 chilis *ancho*
2 cuil. à soupe de saindoux ou d'huile d'olive
350 g de chorizo
350 g de *longanzina*
225 g de porc désossé
1,5 kg de poulet
2 cuil. à soupe de graines de sésame
2 cuil. à soupe de pépins de citrouille
décortiqués, non salés
60 g d'amandes
1 oignon moyen
2 – 5 gousses d'ail
1 belle tomate
1 cuil. à café d'origan
450 ml de bouillon de poulet
Sel et poivre

◆ Préparez les chilis en suivant les indications données pages 12 et 13. Pendant que vous les laissez tremper, pelez et découpez le chorizo et la longanzina en petits morceaux ; découpez le poulet en quartiers et détaillez la viande de porc en cubes.

◆ Chauffez le saindoux ou l'huile dans une grande poêle ; faites d'abord revenir les saucisses, puis le porc et enfin le poulet. Réservez cette préparation dans une cocotte en fonte.

◆ Poêlez à sec les graines de sésame en les secouant fréquemment pour qu'elles n'éclatent pas. Concassez-les avec un pilon ou au moulin à épices. Cette étape est importante pour conserver l'arôme du sésame.

◆ Passez le sésame, les pépins de citrouille, les amandes, les chilis, l'oignon, l'ail, la tomate et l'origan au mixeur pour obtenir une préparation très fine et homogène. Faites revenir ce mélange dans la graisse de cuisson des saucisses et de la viande pendant environ 5 minutes, en remuant constamment : la sauce doit prendre une couleur plus sombre et s'épaissir. Ajoutez le bouillon ; mélangez bien et versez sur la viande. Portez à ébullition, puis réduisez la chaleur de cuisson et laissez mijoter pendant 1 heure au moins. Cette recette gagne à être cuite le plus longtemps possible.

À GAUCHE : étal de fromages et de saucisses à Toluca
À DROITE : préparation de papayes (Mexico)

CI-CONTRE : *puerco con repollo
y elote*
À DROITE : la Cité des Morts

CALABACITAS CON
CARNE DE PUERCO

(Porc aux courgettes)

*Cette recette est très simple. Traditionnellement, on la prépare
avec des côtes de porc coupées en petits morceaux. Avec des côtes
dans l'échine, on obtient la même saveur, mais moins de petits os
gênants. La sauce de soja, a priori peu typique, est néanmoins
de plus en plus utilisée pour certains plats mexicains.*

◆

POUR 4 PERSONNES

**4 belles côtes de porc
6 courgettes coupées en rondelles
1 oignon moyen émincé
2 tomates moyennes, coupées en fines tranches
2 chilis verts (type *California*) ou 1 poivron rouge
450 ml de bouillon de viande
1 cuil. à soupe de sauce de soja
Huile ou saindoux pour la friture
Sel et poivre**

◆ Chauffez l'huile ou le saindoux dans une sauteuse. Faites revenir
les côtes de porc jusqu'à ce qu'elles soient bien dorées ; enlevez
l'excès de graisse. Assaisonnez à votre goût. Ajoutez les autres
ingrédients, couvrez et laissez mijoter à très petit feu pendant 1 à
2 heures au moins. Servez avec du riz parfumé d'un soupçon de chili
pasilla en poudre ou avec des pommes de terre à l'eau ou en purée,
accompagné de maïs doux.

PUERCO CON REPOLLO
Y ELOTE

(Porc au chou et au maïs)

*Cette recette peut se préparer avec du maïs en conserve ou surgelé,
mais pour une meilleure saveur, utilisez des grains de maïs frais.*

◆

POUR 6 PERSONNES

**750 g de côtes de porc détaillées en petits morceaux
1 oignon moyen découpé en rondelles
2 belles tomates émincées
2 gousses d'ail
1 pincée de graines de cumin
8 grains de poivre
2 cuil. à soupe de vinaigre
1 chou moyen, découpé en tranches
350 g de maïs doux
Sel et poivre**

◆ Dans une cocotte en fonte, recouvrez la viande d'eau et faites cuire
à petit feu au moins 1 heure, jusqu'à ce que la chair soit bien tendre.
Ajoutez alors l'oignon et la tomate et laissez cuire encore quelques
minutes.
◆ Passez ail, cumin, grains de poivre et vinaigre au mixeur. Ajoutez
cette préparation à la viande, avec le chou et le maïs : le plat est prêt
quand le chou est cuit. Servez avec du riz blanc.

À GAUCHE : *mancha mantel*
À DROITE : scène de rue
à Ameyatepec

MANCHA MANTEL

Cette recette signifie « plat qui salit la nappe » à cause de la couleur
de la préparation ! C'est un ragoût de porc et/ou de poulet,
auquel on ajoute parfois des jicamas – à défaut, des pommes
à cuire –, des tomatillos, des poires, des petits pois et de l'ananas
frais ou même en boîte, bien que ce soit moins
savoureux dans ce cas.

◆

POUR 4–6 PERSONNES

350 g de porc désossé
Environ 1,5 kg de poulet
3 cuil. à soupe d'huile ou de saindoux
24 amandes (non mondées)
2 à 5 cm de cannelle en bâton
1 cuil. à soupe de graines de sésame
5 chilis *ancho*
2 tomates moyennes
6 gousses d'ail non épluchées (facultatif)
1 belle tranche d'ananas détaillée en dés
1 petite banane plantain ou 1 belle banane pas encore mûre
1 petit *jicama* (environ 250 g)
Sel (1 cuil. à soupe)
200 g de petits pois (facultatif)

◆ Découpez la viande de porc en cubes de 4 cm et disposez-la dans une grande casserole où vous verserez juste assez d'eau pour la recouvrir. Salez légèrement. Portez à ébullition, puis laissez mijoter pendant 25 minutes. Égouttez ; tamisez le bouillon et réservez. Ajoutez un peu d'eau (ou un peu de bouillon de viande ou de poulet) pour obtenir environ 1 l.

◆ Découpez le poulet en quartiers ; chauffez l'huile ou le saindoux dans une sauteuse et faites revenir le poulet par petites quantités. Réservez. Dans la même graisse de cuisson, faites frire les amandes avec leur peau, puis la cannelle et les graines de sésame. Passez ces derniers ingrédients au mixeur.

◆ Épépinez et ôtez les veines des chilis, puis faites-les griller dans la sauteuse avec le reste de matière grasse. Passez-les au mixeur avec les amandes, la cannelle et les graines de sésame.

◆ Dans une poêle, grillez à sec les tomates coupées en deux et incorporez-les à la préparation déjà passée au mixeur.

◆ De la même manière, grillez à sec l'ail non pelé, pendant 10 à 15 minutes : vous pourrez alors l'éplucher très facilement. Incorporez-le également à la préparation passée au mixeur.

◆ Ajoutez alors environ 250 ml de bouillon et mixez bien le tout pour obtenir une sauce veloutée.

◆ Chauffez le reste de matière grasse dans la sauteuse et versez-y cette sauce. Faites revenir 3 à 5 minutes, en remuant constamment : la préparation se colore et s'épaissit. Ajoutez le reste de bouillon et réduisez le feu avant de mettre la viande et les fruits. Assaisonnez à votre goût, puis laissez cuire à petit feu au moins 1 heure, jusqu'à ce que la viande soit tendre. Si vous ajoutez des petits pois, faites-le seulement 5 minutes avant de servir, car ils seraient trop cuits.

◆ Servez bien chaud, accompagné de tortillas fraîches.

FAJITAS

La fajita n'est pas une manière de préparer ou présenter la viande. En réalité, c'est du flanchet ou de la hampe de bœuf – les parties dans la surlonge, entre la poitrine et la tranche grasse ou les parties supérieures et latérales aux parois abdominales du bœuf. Ce sont donc des morceaux plutôt durs et nerveux, qui doivent être parfaitement parés et attendris à la cuisson. C'est une viande bon marché à l'origine qui figure dans un grand nombre de plats populaires de plusieurs pays. Les fajitas que nous connaissons aujourd'hui sont très probablement une invention « Tex-Mex » du début ou du milieu du XX siècle.

Les fajitas peuvent composer un plat délicieux si on les prépare avec l'art et la manière ! Et on peut même utiliser des morceaux de viande d'emblée plus tendres. Les fajitas et leurs variantes se dégustent comme des steaks ou détaillées en lamelles, dans un taco, un burrito ou même dans du pain pita.

Si vous préparez des fajitas « traditionnelles », procédez de la façon suivante : placez la viande sur une planche à découper et ôtez soigneusement les parties grasses à l'aide d'un couteau pointu. Cela prend du temps. Puis enlevez les membranes adhérentes. N'hésitez pas à vous faire seconder : une personne tient la tranche de viande, l'autre soulève la membrane et la troisième glisse un couteau au niveau de l'attache nerveuse de la membrane pour la détacher. Ensuite, entaillez la viande avec la pointe du couteau, en travaillant à la fois dans le sens et à contresens des fibres. Puis martelez-la plusieurs fois avec une fourchette pour la rendre plus malléable et tendre. Si vous préparez des fajitas avec un autre morceau de viande, vous n'avez bien sûr pas besoin d'effectuer cette délicate opération ! Mais dans tous les cas, laissez mariner la viande dans une des préparations indiquées ci-après.

La marinade est ce qui attendrit pleinement la chair : découpez la viande en tranches larges et épaisses d'environ 1,2 à 5 cm et nappez-la de marinade de chaque côté en la tournant plusieurs fois. Puis conservez au réfrigérateur entre 12 et 24 heures.

◆ Sortez la viande du réfrigérateur 1 à 2 heures avant de la cuisiner ; elle sera plus goûteuse. Découpez-la en lamelles de 15 cm de long. Ensuite, soit vous la faites revenir à la poêle avec très peu de matière grasse, soit vous la faites cuire au gril ou encore mieux, au barbecue.

◆ Servez avec des tortillas chaudes de 15 cm de diamètre, et accompagnez, à votre goût, de *salsas*, d'oignons émincés, de tomates, de poivron, de crème fraîche, de guacamole ou d'avocats, de laitue ciselée, de *frijoles refritos* ou de riz à la mexicaine.

MARINADE MARGARITA

◆

3 volumes de jus de citron vert
1 volume de Triple Sec
2 volume de tequila

◆ Le jus de citron attendrit la viande, le Triple Sec l'aromatise en l'adoucissant et la tequila donne une délicieuse saveur. À découvrir !

MARINADE AU JUS DE CITRON VERT

◆

225 ml de bouillon de bœuf
Le jus d'un beau citron vert
3 cuil. à soupe de sauce Worcestershire
1 ou 2 gousses d'ail finement hachées
1 cuil. à soupe de coriandre hachée

MARINADE AU VIN

110 ml de vin rouge ordinaire
ou 55 ml de vin rouge
et 55 ml de vinaigre de vin rouge
3 cuil. à soupe d'huile d'olive
1 ou 2 gousses d'ail finement hachées
1 cuil. à soupe de coriandre hachée

À DROITE : *fajitas* prêtes à être dégustées

VARIANTES

➤ Si vous aimez les saveurs originales et que vous cuisinez des morceaux de viande déjà bien tendres, voici une liste d'ingrédients pour marinades :

Brandy, whisky ou rhum
Vin rouge ou sherry
Bière
Vinaigre (de vin, de cidre, etc.)
Jus d'agrumes
Jus d'ananas
Sauce épicée ou piments rouges séchés, trempés et émiettés
Sauce de soja ou sauce Worcestershire

Oignon, ail
Coriandre fraîche et ses graines fraîchement moulues
Romarin, basilic, sauge, thym, origan, cumin
Grains de poivre entiers, verts ou noirs

➤ Si vous en appréciez la saveur, vous pouvez ajouter du sucre (blanc ou roux) ou du miel. Il ne s'agit pas ici d'une recette traditionnelle mais cette marinade est de plus en plus servie dans les restaurants mexicains.

TAMALES

Les tamales sont préparés avec la même masa que les tortillas (voir page 16), mais que l'on ajoute du saindoux à la pâte. Cette recette n'est pas très compliquée mais il faut néanmoins prendre le coup de main pour que la préparation ne s'effrite pas et pour qu'elle ne colle pas aux feuilles de maïs qui l'enveloppent lors de la cuisson.

POUR 16–24 TAMALES

◆ Travaillez votre *masa* en l'aromatisant de bouillon de poulet, de porc ou de bœuf. Mélangez 500 g de *masa* avec environ 250 g de saindoux moelleux. Mélangez pâte et saindoux pour obtenir une pâte onctueuse et légère. À titre indicatif, une cuillère de pâte doit pouvoir flotter sur l'eau.

◆ Si vous utilisez des feuilles de maïs séchées, trempez-les dans de l'eau chaude pour les ramollir (cela prend entre 1/2 et 1 heure). Disposez une cuillère à soupe de pâte au milieu de chaque feuille. Étalez la pâte pour qu'elle ait une épaisseur d'environ 1 à 2 cm, avec vos doigts ou avec une presse à tortillas. Ensuite, mettez une cuillère à soupe de farce au milieu de la pâte, enroulez la feuille de maïs, repliez les extrémités supérieure et inférieure et attachez-les avec du fil de cuisine.

◆ Faites cuire les *tamales* à la vapeur, l'extrémité inférieure des feuilles de maïs vers le bas, pendant environ 1 heure, jusqu'à ce que la pâte commence à sortir des feuilles de maïs.

FARCE

4 à 6 gousses d'ail
3 chilis type *California*
450 g de bœuf, de porc ou de poulet bien cuit
1 chili *ancho*

◆ Préparez les chilis en suivant les indications données pages 12 et 13. Pendant que vous les laissez tremper, découpez la viande en fines lamelles.

◆ Dans un mixeur, broyez l'ail et les chilis avec un peu de leur liquide de trempage pour obtenir une purée que vous ferez revenir à la poêle pendant 5 minutes, en remuant constamment. Ajoutez alors la viande.

◆

VARIANTES

➤ Pour la *masa* de base : ajoutez 100 g de crème au bouillon que vous utilisez pour préparer la *masa*, du cumin et de l'origan (1/4 de cuillère à café de chaque) et un chili séché, que vous aurez d'abord fait tremper, finement haché.

➤ Pour la farce, vous pouvez utiliser des tomates et des oignons et la parfumer avec du romarin, du thym, de l'origan et du cumin.

TOURTES DE TAMALE

Ces recettes permettent d'apprécier la saveur des tamales sans utiliser de feuilles de maïs. Préparez une masa *comme indiqué précédemment ; répartissez-la aux trois-quarts dans un grand moule huilé, le quart restant étant utilisé pour recouvrir la farce.*

TOURTE DE TAMALE AU POULET

POUR 6–8 PERSONNES

1 poulet d'environ 1,5 kg
6 chilis rouges séchés (type *arbol* ou *ancho*)
1 bel oignon haché
5 à 10 gousses d'ail finement hachées
3 belles tomates, pelées, épépinées et hachées
ou environ 1,3 kg de tomates pelées en conserve
60 g d'amandes mondées
100 g de raisins secs
2 cuil. à soupe d'huile d'olive ou de saindoux
Sel et poivre

◆ Faites cuire le poulet à l'eau bouillante (l'eau doit juste le recouvrir) jusqu'à ce qu'il soit bien tendre. Laissez refroidir puis ôtez la peau du poulet, avant de le désosser. Réservez le bouillon : vous pouvez vous en servir pour préparer la *masa*. Découpez le poulet en gros morceaux.

◆ Épépinez les chilis et mettez-les à tremper dans un bol d'eau pendant 1 heure. Réservez le liquide de trempage.

◆ Hachez et passez au mixeur les oignons, l'ail, les tomates, les amandes, les raisins secs et les chilis, avec un peu du liquide de trempage des piments pour obtenir une purée assez épaisse. Chauffez l'huile dans une poêle et faites revenir cette préparation à feu moyen pendant 5 minutes. Assaisonnez et rectifiez si nécessaire.

◆ Mettez le poulet dans le moule garni de *masa* (voir ci-dessus), puis versez la moitié de la sauce. Recouvrez avec le reste de *masa* pour former une tourte. Faites cuire dans un four réglé à 180 °C pendant 1 heure. Réchauffez l'autre moitié de sauce et servez en accompagnement.

TOURTE DE TAMALE AU PORC

◆ Pour cette recette, prenez 1 kg de porc que vous découperez en cubes de 5 cm. Faites cuire dans de l'eau bouillante, pendant environ 1 heure, jusqu'à ce que la viande soit tendre. Préparez la *masa* avec du bouillon de porc et reprenez les consignes de la recette précédente. Pour la sauce, il faut :

1 oignon moyen, haché
3 à– 6 gousses d'ail finement hachées
3 chilis séchés
3 belles tomates ou des tomates en conserve
(voir recette précédente)
1/2 cuil. à café de graines de coriandre moulues
1 cuil. à café d'origan séché
(ou 1/2 cuil. d'origan frais)
1 feuille de laurier

PAGE DE GAUCHE : *tamales*
CI-CONTRE : *tamales* à Inchitan

POULET ET DINDE

Les plats à base de poulet et de dinde sont très appréciés et très populaires au Mexique. On les prépare aussi combinés à d'autres viandes, comme dans les recettes suivantes.

◆

DINDE AU MOLE POBLANO

Les Espagnols appellent la dinde pava et les Mexicains guajolote, un mot qui évoque à merveille le glouglou de ce gallinacé. Cette recette est royalement compliquée, au sens littéral du terme puisque le chocolat était la nourriture des rois aztèques et des grands-prêtres.

Le mole au chocolat vendu dans le commerce est certes très bon, mais celui que l'on prépare chez soi est encore meilleur.

◆

POUR 6–12 PERSONNES

1 dinde de 1,3 – 1,5 kg, découpée en quartiers
Environ 12 chilis *ancho* ou *pasilla* (voir ci-après)
4 cuil. à soupe de graines de sésame
1/2 cuil. à café de grains de coriandre
2 oignons hachés
4 gousses d'ail, épluchées et hachées
200 g d'amandes mondées
100 g de raisins secs
1/2 cuil. à café de clous de girofle moulus
1/2 cuil. à café de cannelle moulue
3 brins de coriandre fraîche
1/2 cuil. à café d'anis
1 tortilla
3 tomates moyennes, pelées, épépinées et finement coupées
4 cuil. à soupe de saindoux
60 g de chocolat noir (non sucré)
Sel et poivre

◆ Faites cuire la dinde dans de l'eau bouillante salée et laissez mijoter pendant 1 heure. Gardez 450 ml de bouillon. Égouttez puis séchez les portions de dinde dans du papier absorbant. Chauffez le saindoux dans une poêle et, par petites quantités à chaque fois, faites revenir les morceaux de volaille.
◆ Préparez les chilis en suivant les indications données pages 12 et 13. Idéalement, on conseille 6 chilis *ancho*, 4 chilis *pasilla* et 4 chilis *mulato*, mais vous pouvez très bien vous contenter des variétés d'*ancho* ou de *pasillas*.
◆ Faites griller les graines de sésame à sec, en les remuant constamment. Dans un mortier, concassez-en la moitié. Répétez la même opération avec les graines de coriandre.
◆ Mixez le sésame, les oignons, l'ail, les amandes, le raisin sec, les clous de girofle, la cannelle, la coriandre (graines et brins), l'anis, la tortilla, les chilis et les tomates, pour obtenir une pâte veloutée.
◆ Faites cuire cette préparation à feu vif pendant 5 minutes avec le restant de matière grasse dans la poêle (si nécessaire, ajoutez une autre cuillère à soupe de saindoux), en remuant constamment. Ajoutez alors le bouillon, le chocolat brisé en petits morceaux ou râpé ; salez et poivrez à votre goût. Laissez cuire à petit feu jusqu'à ce que le chocolat ait fondu. La sauce doit être onctueuse.
◆ Disposez la dinde dans un plat à four et nappez de sauce. Faites cuire dans un four réglé à 90 °C, pendant 1/2 heure à 1 heure. Garnissez de graines de sésame grillées et accompagnez de tortillas, de haricots et de riz.

AVES CON CHILES

(Volaille aux chilis)

POUR 4 PERSONNES

500 g de poulet ou de dinde,
que vous aurez préalablement fait cuire
4 chilis *poblano*
1 bel oignon rouge haché
2-3 cuil. à soupe de saindoux ou d'huile d'olive
225 g de crème fraîche
200 à 250 g de cheddar ou de *jack* râpé
Sel et poivre

◆ Pour cette recette, vous pouvez utiliser des restes de poulet ou de dinde, découpés en dés ou en lamelles. Pour une version plus luxueuse, (voir photo ci-dessous), cuisinez des blancs de poulet.
◆ Préparez les chilis en suivant les indications données pages 12 et 13. Ôtez veines et graines et détaillez-les en dés.
◆ Faites fondre l'oignon dans l'huile ou le saindoux. Ajoutez le poulet et les chilis. Laissez la préparation mijoter environ 5 minutes, en remuant souvent.
◆ Incorporez la crème fraîche et le fromage râpé. Assaisonnez. Mélangez constamment, pendant 2 ou 3 minutes, jusqu'à ce que le fromage ait bien fondu.

À GAUCHE : préparation du *mole* dans l'État de Mexico
CI-DESSOUS : *aves con chiles*

POULET À LA CORIANDRE

Cette recette est à la fois simple et élégante.
Traditionnellement, on la sert à une comida composée
de plusieurs petits plats.

◆

POUR 4–6 PERSONNES

4 blancs de poulet, désossés et sans peau.
1 petit oignon
1 gousse d'ail (au moins)
2 cuil. à soupe de feuilles de coriandre hachées
4 cuil. à soupe d'huile d'olive ou de beurre
(ou un mélange des deux)
Sel et poivre

◆ Hachez finement l'oignon et l'ail. Faites-les fondre dans l'huile ou le beurre chaud.

◆ Découpez le poulet en cubes de 2 à 3 cm de large et faites-le revenir avec l'oignon et l'ail pendant 5 à 10 minutes : la chair doit être légèrement dorée. Ajoutez les feuilles de coriandre hachées ; mélangez bien et servez avec la sauce de cuisson que vous pouvez déglacer avec un demi-verre de vin blanc sec ou de vermouth pour l'aromatiser d'avantage. Accompagnez de riz blanc.

POLLO EN SALSA DE PIPIAN

(Poulet à la sauce de pépins de citrouille)

3 chilis *ancho*
2 gousses d'ail
1 l de bouillon de poulet
125 g de beurre de cacahuètes
225 g de pipian (pépins de citrouille)
3 tortillas de maïs découpées en morceaux
4 quartiers de poulet, cuits dans de l'eau bouillante

◆ Préparez les chilis en suivant les indications données pages 12 et 13. Quand ils sont tendres, égouttez-les. Passez-les au mixeur avec tous les ingrédients sauf le poulet, pour obtenir une sauce veloutée. Procédez en plusieurs fois si nécessaire.

◆ Disposez le poulet, nappé de sauce, dans une cocotte ou dans un plat à four. Faites cuire à très petit feu pendant 25 minutes ou dans un four réglé à 120 °C pendant environ 1 heure, en remuant la préparation de temps en temps.

À GAUCHE : poulet à la coriandre
À DROITE : fête à Huejofango

DESERTS

Pour terminer votre repas en beauté, voici une petite sélection
des desserts mexicains les plus populaires.

◆

FLAN

Le flan est une crème caramel cuite au four. On peut le réaliser
avec du lait plus ou moins écrémé ou du lait concentré.

◆

POUR 6-10 PARTS

2 l de lait
250 g de sucre
2 cuil. à soupe (ou plus) de sucre pour le caramel
6 à 8 beaux œufs
6 jaunes d'œufs
1 cuil. à café d'extrait de vanille

◆ Mélangez les 250 g de sucre au lait; portez à ébullition, puis laissez frémir pendant environ 45 minutes pour que la préparation réduise de moitié.

◆ Dans une casserole à fond épais, anti-adhésif, faites fondre les 2 cuillères à soupe de sucre semoule. Tenez la casserole juste au-dessus du feu et secouez constamment : le sucre fondra lentement en prenant une couleur miel foncé. Beurrez légèrement un moule à tarte et nappez-le de caramel. Conservez à température ambiante.

◆ Battez les œufs entiers, les jaunes d'œuf et la vanille pour obtenir une mixture lisse et homogène que vous verserez ensuite lentement, en remuant, dans le lait. Portez cette préparation dans le moule nappé de caramel et faites cuire au bain-marie dans un four réglé à 175 °C pendant 45 minutes.

◆ Pour démouler le flan, refroidissez bien le moule au préalable, puis détachez les bords du flan avec la pointe d'un couteau. N'hésitez pas à plonger la lame jusqu'au fond du moule. Ensuite, disposez une grande assiette ou un plat à service au-dessus du moule et retournez-le.

◆ Pour préparer des flans individuels (entre 6 et 10), faites fondre deux ou trois fois plus de sucre à caraméliser et nappez-en des ramequins allant au four. Faites cuire au bain-marie, comme indiqué ci-dessus, pendant 30 minutes.

FLAN AU LAIT CONCENTRÉ

Pour cette recette, on utilise du lait concentré sucré. Au Mexique,
c'est la manière habituelle de préparer un flan maison.

◆

POUR 6 PERSONNES

2 cuil. à soupe de sucre pour le caramel
2,250 kg de lait concentré sucré en boîte
6 œufs
1 cuil. à café de vanille
Noix de muscade râpée

◆ Préparez le caramel en suivant les indications de la recette
précédente. Nappez-en un moule préalablement beurré et conservez
à température ambiante.
◆ Battez le lait, les œufs et la vanille pour obtenir une mixture bien
homogène. Versez-la dans le moule et parsemez de noix de muscade
râpée.
◆ Faites cuire soit au four, soit au bain-marie sur le feu ou une
plaque de cuisson, pendant environ 30 minutes. Laissez refroidir,
puis réfrigérez. Démoulez en procédant de la même manière que
pour la recette précédente.

À GAUCHE : flan
CI-DESSOUS : bananes flambées au rhum

PLATANOS

(Bananes plantains)

Ce dessert est très populaire au Mexique. Les bananes plantains
doivent être frites jusqu'à ce qu'elles soient dorées, sinon elles restent
un peu dures. Pour la friture, nous conseillons le saindoux, qui ne
laisse pas d'arrière-goût. Chauffez-le bien au préalable. Si vous
préférez une préparation à l'huile, elle doit être très chaude.
À défaut de bananes plantains, choisissez des bananes ordinaires
pas encore mûres. Une cuisson au four est également possible :
1/4 d'heure, à 160 °C. Pour des bananes cuites au four,
aromatisez-les des ingrédients suivants :

◆

POUR 4 PERSONNES

60 g de sucre semoule
1/2 cuil. à café de cannelle
60 g de beurre coupé en morceaux

VARIANTES

➤ Garnissez votre flanc de crème fouettée parfumée à la cannelle.
➤ Préparez des *banana split* (fendez la banane avant de la cuire).
➤ Flambez au rhum, et avec prudence, les bananes cuites.

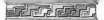

PÂTISSERIES

Les Mexicains sont friands de pâtisseries, qui évoquent pour nous à la fois gâteaux et biscuits. Les trois recettes suivantes, aussi simples que savoureuses, sont des desserts typiques.

◆

GALLETAS DE MEDIA LUNA

POUR 10–12 BISCUITS

**450 g de farine + 150 g environ
pour rouler la pâte
2 petites cuil. à café de levure chimique
200 g de beurre
100 g de sucre
2 œufs
225 ml de lait
Confiture de fraise**

◆ Tamisez la farine avec la levure et formez un puits. Au centre, disposez le beurre, le sucre et les œufs. Pétrissez à la main, en ajoutant du lait si nécessaire, pour confectionner une pâte consistante et lisse. Après avoir parsemé de la farine sur le plan de travail, roulez la pâte jusqu'à ce qu'elle ait environ 6 mm d'épaisseur. Découpez des biscuits – par exemple, en forme de demi-lunes – à l'aide d'emporte-pièce. Faites cuire dans un four réglé à 175 °C (th. 4) pendant 10 à 20 minutes : la pâte doit devenir dorée.

◆ Laissez refroidir ; nappez chaque biscuit de confiture et recouvrir d'un biscuit de forme identique, pour confectionner un biscuit fourré.

POLVORONES

(Biscuits à la cannelle)

POUR 20–24 BISCUITS

**100 g de sucre
225 g de saindoux
2 œufs
450 g de farine
1 cuil. à café de levure
Sucre en poudre
1 bonne cuil. à café de cannelle en poudre**

◆ Mélangez le sucre et le saindoux. Ajoutez les œufs et battez bien. Tamisez la farine avec la levure ; mélangez soigneusement. Formez des boules que vous aplatirez ensuite pour obtenir des biscuits d'environ 7,5 à 10 cm de diamètre ; saupoudrez de sucre et de cannelle.

◆ Faites cuire dans un four réglé à 175 °C pendant 25 minutes ou 15 minutes si vos biscuits sont plus petits (les gros biscuits sont plus traditionnels).

VARIANTES

➤ Colorez votre pâte.
➤ Ajoutez de la cannelle à la pâte.
➤ Utilisez une matière grasse végétale.
➤ Roulez la pâte dans du sucre coloré.

PAGE DE GAUCHE : sélection de pâtis-
series accompagnées du traditionnel
chocolat chaud
EN BAS : *churros*
CI-CONTRE : *polvorones*

CHURROS

Les churros *sont des sortes de beignets de forme allongée, vendus
au Mexique dans des* churrerias *où on les prépare à la commande.
Ils ne sont pas très faciles à confectionner, mais l'effort en vaut
la peine. Clin d'œil : peut-être trouverez-vous une préparation pour*
churros *dans une épicerie mexicaine : il vous suffit alors d'y ajouter
de l'eau et le résultat est à la fois très bon et très simple !*

POUR 10–20 BISCUITS

225 ml d'eau
1 cuil. à soupe de sucre
Sel
130 g de farine
1/2 cuil. à café de levure chimique
1 œuf
2 cuil. à soupe de beurre
1 cuil. à soupe de saindoux
Sucre semoule (pour rouler la pâte)
1/2 cuil. à café de cannelle en poudre (facultatif)

◆ Portez l'eau à ébullition, avec 1 cuillère à soupe de sucre et une

pincée de sel. Tamisez la farine avec la levure, puis versez dans l'eau
bouillante, d'un seul coup. Fouettez très vivement le mélange eau-
farine-levure avec une cuillère en bois, jusqu'à ce que la préparation
soit lisse. Cette étape est un peu fastidieuse. Ajoutez alors l'œuf et les
2 cuillères à soupe de beurre. Battez de nouveau : le mélange
s'épaissit un peu, mais garde encore la consistance de la pâte. Le
résultat doit être velouté et souple.

◆ Disposez la préparation dans une poche à douille bien solide (la
forme étoilée est la plus traditionnelle pour les *churros*) et pressez vos
beignets. Ils doivent mesurer environ 15 cm. Vous pouvez également
les mouler à la main, ce qui est tout aussi traditionnel.

◆ Faites frire les *churros* dans du saindoux très chaud (presque
200 °C), jusqu'à ce qu'ils soient dorés et croustillants. N'écourtez pas
cette phase car la pâte ne serait pas cuite au milieu. Ensuite,
égouttez-les soigneusement et roulez-les dans le sucre semoule, avec
ou sans cannelle.

BOISSONS NON ALCOO-LISÉES

Voici une petite sélection de boissons que vous apprécierez en dégustant vos plats mexicains ou à tout autre moment.

◆

REFRESCOS

Les refrescos sont des jus de fruits mélangés à de l'eau fraîche et servis soit avec des glaçons, soit très réfrigérés. Certains cocktails sont très originaux !

◆

REFRESCO ROSADO

4 carottes moyennes
3 belles tranches d'ananas frais
1 cuil. à soupe de noix finement concassées

◆ Pelez les carottes et découpez-les en morceaux. Détaillez l'ananas en dés. Passez au mixeur. Rallongez avec 1 l d'eau et servez sur de la glace pilée. Garnissez de noix.

REFRESCO DE PEPINO Y PIÑA

2 à 3 petits concombres pelés
3 belles tranches d'ananas
Sucre à votre goût

◆ Procédez comme pour le *refresco rosado*, avec la même quantité d'eau. Vous pouvez aussi utiliser de l'eau gazeuse.

BOISSON AU CHOCOLAT

La « nourriture des Dieux » est bel et bien une gourmandise d'Amérique centrale. La préparation la plus courante est sans doute l'Ibarra, au goût très sucré, aromatisée à la cannelle et aux amandes. Comptez deux morceaux de chocolat par tasse ou plus, selon votre goût ! Chauffez du lait entier presque jusqu'à ébullition, versez-le dans un mixeur et mélangez bien avec le chocolat.

◆

ATOLE

Cette boisson typiquement mexicaine est préparée de diverses façons. Son goût est particulier : certains n'aimeront pas ! À la base, il faut de la masa, c'est-à-dire la pâte qui sert à faire les tortillas. Si vous ne trouvez pas de masa, mélangez environ 80 g de farine de maïs avec 2 ou 3 cuillères à soupe d'eau chaude (mais pas bouillante).

◆

100 g de masa
300 ml d'eau
450 ml de lait
60 à 90 g de sucre *piloncillo*, broyé (ou 3 cuil. à soupe de sucre roux plus 1/2 cuil. à soupe de mélasse)

◆ Mélangez la *masa* et l'eau dans un mixeur, puis versez le tout dans une casserole. Ajoutez-y le lait et le sucre. Portez à feu doux et faites cuire la préparation jusqu'à ce que le sucre ait fondu. Remuez souvent pendant la cuisson.

CI-DESSUS : les fruits frais sont essentiels à la préparation des boissons et des mets.
À DROITE : pause-rafraîchissement à Inchitan

VARIANTES

➤ Pour préparer un *atole* chocolaté, ajoutez 100 g de chocolat sucré mexicain, découpé en gros morceaux, avec le sucre *piloncillo*.

➤ Vous pouvez : modifier les proportions de lait, d'eau et de sucre selon que vous désirez une boisson plus ou moins liquide ou plus ou moins sucrée ; ajouter un peu d'anis écrasé ; utiliser des noisettes moulues à la place du chocolat, avec de la cannelle ou de la noix de muscade ; remplacer le lait par de l'ananas haché et de l'eau ; concocter un coulis de fraise. Toutes ces variantes sont typiques.

➤ Si vous souhaitez un *atole* moins traditionnel, mélangez-le avec du café noir : un quart ou la moitié de café pour un volume d'*atole*.

CAFÉ
◆◆◆◆◆◆◆◆◆◆◆◆

On distingue le café americano ou café noir ; le café con leche, c'est-à-dire un café infusé, très fort, ensuite dilué dans la même quantité de lait chaud ; certains cafes de olla, d'abord préparés à l'eau bouillante dans une casserole en terre cuite avec plusieurs ingrédients, puis filtrés. Voici une recette de cafe de olla :

1 l d'eau
60 g de café torréfié
5 x 2 cm de cannelle en bâton
120 à 150 g de sucre *piloncillo*, concassé
(ou 120 g de sucre roux avec 1 cuil. à café de mélasse).

◆ Dans un récipient en verre ou en terre cuite, portez à ébullition l'eau avec la cannelle et le sucre *piloncillo*. Mélangez bien jusqu'à ce que le sucre ait fondu.

◆ Lorsque la préparation a bouilli, ôtez du feu. Ajoutez le café, mélangez et laissez infuser pendant 5 minutes. Filtrez directement dans les tasses.

◆ Pour varier cette recette, vous pouvez ajouter des graines d'anis, des graines de coriandre moulues, un clou de girofle ou un morceau de chocolat.

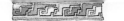

BOISSONS ALCOOLISÉES

Les cocktails exotiques mexicains sont très célèbres, tout comme certaines bières qui accompagnent délicieusement quelques recettes de ce livre. Les vins mexicains seront choisis par des connaisseurs.

LA BIÈRE

La bière mexicaine est de plus en plus appréciée. Les Bohemia, Dos Equis Dark et Modelo Negra comptent probablement parmi les plus savoureuses. D'autres bières, en revanche, doivent être relevées de citron vert. En France, la Corona est très populaire. Mais la bière mexicaine n'est pas forcément bon marché à l'étranger.

LES VINS

À l'origine, le vin mexicain n'est pas un des meilleurs du monde.
On ne boit pas beaucoup de vin au Mexique et cela se ressent dans
la qualité du vin proposé. Les conditions de vinification et
d'élaboration laissent parfois à désirer, d'où des vins de qualité
moyenne. Mais il en existe de fort bons. Sinon, n'hésitez pas à
accompagner les plats mexicains de vins corsés, choisis dans votre
cave personnelle. Évitez les vins trop subtils : leur bouquet ne serait
pas mis en valeur.

LES ALCOOLS

La tequila est l'alcool mexicain le plus célèbre.
En réalité, c'est une boisson de travailleur de force, très alcoolisée,
faite pour enivrer.
Pour boire la tequila de manière traditionnelle :
versez un peu de sel sur votre poignet, léchez-le,
prenez une gorgée de tequila puis une bouchée de lime
(citron vert) ou de citron ordinaire. Cette habitude sert
surtout à masquer le goût de l'alcool.
Les mescal, charanda et sotol sont très similaires à la tequila,
mais faits à partir d'autres variétés de cactus maguey
– ou agave – dont « l'arbre centenaire » aux grandes feuilles
en forme de lame est l'une des plus connues. La plupart
des agaves utilisés en distillation sont toutefois plus petits.
Le cognac mexicain est plutôt bon, suivant les marques
bien sûr et très apprécié au Mexique par les consommateurs
qui ont les moyens de s'en offrir. Le rhum est aussi
de bonne qualité. Sa teneur en alcool varie beaucoup :
40 % du volume pour un habanero anejo,
et 95 % du volume pour le rompope, qui est préparé
à base d'alcool de canne à sucre (voir page 93).
Ce même alcool est également mélangé
à du chocolat, à du lait frais et à des jus de fruits.
Les liqueurs mexicaines (licores), aux nombreuses
saveurs et couleurs, sont très souvent
des infusions de fruits et d'épices,
macérées dans de l'alcool.

PULQUE ET CHICHA

Le pulque est une bière fermentée, faite à partir d'agave.
C'est de plus en plus difficile d'en trouver au Mexique et encore
plus difficile ailleurs. C'est une boisson à l'aspect opaque,
au goût inhabituel et très riche en vitamines.
La chicha était traditionnellement concoctée à partir de grains de
maïs frais, mâchés par les femmes d'une tribu (et, paraît-il, par les
plus jolies vierges), puis recrachés dans une olla. Enzymes salivaires
et levures naturelles la faisaient fermenter et on finissait par obtenir
une boisson alcoolisée épaisse, mousseuse, que l'on servait à des
cérémonies de mariage. Voici une préparation certes moins
traditionnelle, mais néanmoins délicieuse :

◆

**1 bel ananas
500 g de sucre blanc
6 citrons verts, coupés en rondelles
Cannelle, clous de girofle et noix de muscade :
1/2 cuil. à café de chaque
4 l d'eau**

◆ Étêtez l'ananas ; lavez-le, découpez-le en petits morceaux et
écrasez-le avec la peau. Faites dissoudre le sucre dans l'eau ; ajoutez
l'ananas et les autres ingrédients. La préparation dégagera des
levures naturelles, mais ajoutez, si vous le désirez, un paquet de
levure de vin. Laissez fermenter dans un récipient en verre ou en
terre cuite, au moins 24 heures et jusqu'à une semaine. La boisson
finale a un peu le goût de cidre aromatisé à l'ananas. Conservez au
réfrigérateur.

À GAUCHE : sélection de bières mexicaines
CI-DESSUS : bière à l'ananas.

PAGE DE DROITE : *margarita*
CI-CONTRE : *tequila Sunrise*

COCKTAILS

Les cocktails « pimentent » à leur manière les repas mexicains.
Ils sont souvent aussi délicieux que trompeurs,
car forts en alcool mais doux au goût !

MARGARITA

Ce célèbre cocktail est essentiellement une variante
de la tequila au sel et au citron vert.
Les proportions varient beaucoup,
mais voici une base de préparation :

◆

Sel
1 volume de tequila
1/2 volume de Triple Sec
1 volume de jus de citron vert frais

◆ Mettez 6 mm de sel dans une soucoupe. Le sel spécial margarita est légèrement plus épais mais a le même goût tout en étant *a priori* très cher. Humectez le bord des verres avec un morceau de citron vert, puis tournez-le dans du sel.

◆ Dans un shaker, mélangez tequila, Triple Sec et jus de citron avec de la glace pilée puis servez.

CUBA LIBRE

Ce cocktail au nom original est composé de rhum,
de Coca Cola et de citron vert. À goûter, par exemple,
avec du rhum ambré
ou avec du Bacardi.

◆

30 à 60 ml de rhum
180 à 350 ml de Coca Cola (ou boisson similaire)
1/2 citron vert pressé
2 glaçons
Rondelles de citron vert pour décorer

TEQUILA SUNRISE

Ce cocktail, tout aussi célèbre que la margarita, détient son appellation de la teinte du sirop de grenadine qui s'irise au fond du verre, évoquant la couleur du soleil.

◆

1 1/2 volume de tequila
6 volumes de jus d'orange
1/2 volume de sirop de grenadine
Glaçons (facultatif)

◆ Mélangez la tequila et le jus d'orange, avec des glaçons si vous le souhaitez (mais l'effet « soleil » sera atténué). Versez dans les verres. Ajoutez lentement le sirop de grenadine : aidez-vous d'un petit entonnoir que vous plongerez à 2 ou 3 cm de la surface du verre pour que la grenadine ne se dilue pas trop.

PIÑA COLADA

Vous pouvez concocter ce cocktail avec du jus d'ananas et de noix de coco : votre piña colada sera à la fois meilleure et moins chère que si vous utilisez la préparation « spéciale piña colada ». À défaut, faites fondre un peu de crème de noix de coco dans de l'eau ou du lait de coco (60 – 80 g de crème de noix de coco pour 350 ml de liquide), par exemple au four à micro-ondes. Mélangez bien. Laissez refroidir puis ajoutez à un même volume de jus d'ananas.

◆

1 l de jus de noix de coco et ananas
100 ml de rhum ambré
100 ml de rhum blanc

◆ Dans un shaker, mélangez les ingrédients avec de la glace pilée. Vous pouvez ajouter, si vous le désirez, 120 ml de crème liquide. Ce cocktail est délicieux bien glacé, servi en dessert.

ROMPOPE

Au Mexique et bien que cela puisse paraître choquant, on sert de petits bols de rompope aux enfants qui adorent ! Certains Mexicains ajoutent même une goutte de cognac à leur rompope, pour le rendre encore plus fort.

◆

1 l de lait
500 g de sucre
10 jaunes d'œufs
750 ml d'alcool de canne à sucre ou de rhum
Quelques pincées de cannelle en poudre
et de noix de muscade râpée
1 clou de girofle

◆ Dans une casserole, faites chauffer le lait, le sucre et les épices ; laissez à feu doux jusqu'à ce que la préparation réduise au moins de 25 %. Laissez refroidir, écrémez et ajoutez l'alcool en mélangeant constamment. Battez les jaunes d'œufs et incorporez-les peu à peu au *rompope*, en mélangeant toujours. Parsemez de cannelle et/ou de noix de muscade avant de servir.

GLOSSAIRE

ADOBADO/ADOBADA *Épice à la sauce adobo*

ADOBO *Sauce épicée à base de vinaigre*

ALBONDIGAS *Boulettes de viande*

ALMUERZO *Petit déjeuner léger*

ANAHEIM *Gros chili frais et doux*

ANCHO *Type de gros chili séché, brun foncé et coriace*

ARBOL *Chili séché très fort*

ARROZ *Riz*

ASADA/ASADO *Grillé, rôti*

ATOLE *Boisson sucrée épaissie avec de la masa*

AVES *Volaille*

BIRRIA *Viande tendre, grillée au barbecue ou rôtie en cocotte*

BORRACHO/BORRACHA « *Ivre* » ; *cuisiné avec du vin, de la bière ou de l'alcool.*

BUDIN *Préparation similaire aux lasagnes, mais avec des tortillas*

BURRITO *Grande tortilla de maïs farcie*

CALDO *Soupe ou ragoût léger*

CALIFORNIA *Gros chili doux ; souvent séché*

CARNE *Viande : de res (ou de vaca) signifie bœuf ; de puerco signifie porc*

CAZUELA *Récipient de cuisson en terre cuite, peu profond*

CENA *Dîner ; souper*

CERVEZA *Bière*

CEVICHE *Poisson mariné au jus de citron vert*

CHAYOTE *Sorte de courge en forme de poire*

CHILE RELLENO *Chili frais farci*

CHILI *Piment*

CHIPOTLE *Petit chili fumé, très fort*

CHORIZO *Saucisse pimentée*

CHURROS *Sorte de beignets de forme allongée*

CILANTRO *Coriandre ou « persil chinois »*

COLORADO *Rouge ; désigne généralement de la sauce tomate*

COMAL *Récipient en terre cuite ou plaque en fonte utilisée pour préparer les tortillas*

COMIDA *Principal repas de la journée, pris en début d'après-midi*

ELOTE *Maïs doux, frais*

ENTREMES *Hors-d'œuvre*

ESCABECHE *Marinade épicée à base de vinaigre*

FAJITAS *Grillades de bœuf mariné*

FIDEOS *Vermicelles*

FRIJOLES *Haricots. Frijoles refritos : haricots frits*

GUACAMOLE *Purée d'avocats*

GUAJILLO *Gros chili séché, au goût fort*

HOMINY *Maïs blanc*

HUACHINANGO (ou Guachinango) *Sorte de daurade.*

HUEVOS *Œufs. Huevos rancheros : façon « paysanne » ; Huevos revueltos : brouillés*

JALAPENO *Gros chili très fort*

JICAMA *Tubercule dont le goût rappelle à la fois la pomme de terre et la pomme*

JICAMATE *Tomate*

LENGUA *Langue*

MACHACA *Bœuf séché en lamelles*

MACHOMO *Similaire au Machaca, mais plus facile à préparer*

MAGUEY *Agave aux feuilles en forme de lame ; « l'arbre centenaire » appartient à cette famille.*

MANCHA MANTEL *Ragoût composé de fruits et chilis. Signifie littéralement « qui salit la nappe ».*

MASA *Pâte de maïs*

MASA HARINA *Farine de maïs qui sert à préparer la masa*

MERIENDA *Deuxième petit déjeuner, copieux*

MOLE *Sauce. Prononcez « mo-ley »*

NEW MEXICO *Gros chili séché, pas très fort*

NOPALITOS *Pousses de cactus*

OLLA *Grand faitout en terre cuite*

PAELLA *Fruits de mer (et, éventuellement, de la viande ou de la volaille) cuits avec du riz*

PASILLA *Gros chili séché et doux. Parfois moulu*

PESCADO *Poisson pêché*

PICADILLO *Bœuf haché*

PICANTE *Piquant. muy picante : très fort ; poco picante : doux*

PICO DE GALLO *Salade composée de jicama et d'oranges*

PILONCILLO *Sucre non raffiné*

PIPIAN *Graines de citrouille crues, non salées*

PLANTANO *Banane plantain utilisée dans certains plats cuisinés*

POBLANO *Gros chili frais*

POLPO *Calmar*

POSTRE *Dessert*

POZOLE *Porc cuisiné avec du maïs hominy*

QUESADILLA TORTILLA *farcie de fromage fondu. Quesadilla sincronizada : deux tortillas en sandwich, farcies de fromage fondu*

QUESO FUNDIDO *Fromage fondu*

RECADO DE BISTECK *Sauce épicée à base de vinaigre*

REFRESCO *Cocktail de jus de fruits frais allongé d'eau*

REFRITOS *Haricots frits*

REPOLLO *Chou*

SALSA *Sauce ; Salsa cruda : condiment à base d'ingrédients crus*

SERRANO *Chili très fort*

SOPA *Soupe*

TACO *Tortilla enroulée et farcie*

TAMALES *Viande enrobée de masa et cuite à la vapeur dans des feuilles de maïs*

TOMATILLO *Sorte de petite tomate verte, à peau épaisse*

TORTILLA *Galette de maïs ou de blé. Une tortilla de huevo est une omelette*

TOSTADA *Tortilla frite et garnie*

TOSTADITA *Petite tostada ; sorte de chips de maïs*

VERDE *Vert. Couleur donnée par les tomatillos*

INDEX
◆◆◆◆◆◆◆◆◆◆◆◆◆◆

CRÉDITS PHOTOGRAPHIQUES

Plats cuisinés : Steve Alley et Amber Wisdom ;
Roger Hicks et Frances Schultz ; John Norton
Préparation des recettes : Roger Hicks,
Frances Schultz, Marion Schultz, Juana Ibarra
Extérieurs : Liba Taylor

REMERCIEMENTS

Nous souhaitons remercier tous les habitants de la paroisse
Our Lady of Guadalupe, Guadalupe, Californie,
et plus particulièrement (par ordre alphabétique) :
Maria Luisa Amarillas, pour ses recettes
Juan Brad, pour de nombreuses recettes et idées
Margarita Fausta, pour ses recettes
Juana Ibarra, pour ses recettes, ses tamales et son soutien
Olivia Jaime, pour ses recettes et ses idées
Rosalia Perez-Gomez, pour la conception originale
Manuel Ramos, pour ses recettes, ses explications et sa coordination
Nellie Ramos, pour ses recettes et son aide
Padre Julio Roman de Our Lady of Guadelupe
Marion Schultz, pour ses recettes et son soutien.